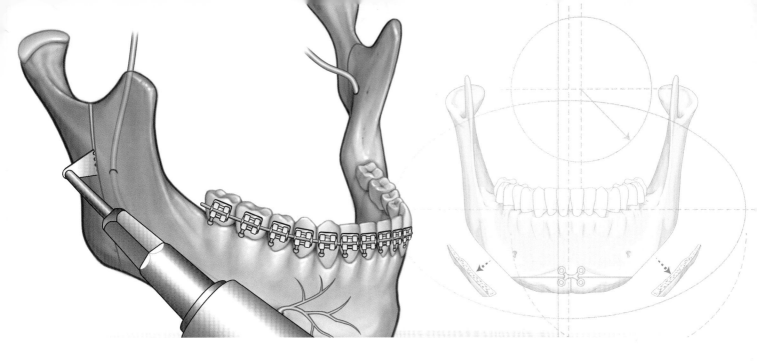

동양인을 위한
미용양악수술

Aesthetic Two Jaw Surgery for Asians

东方人的美容双颚手术

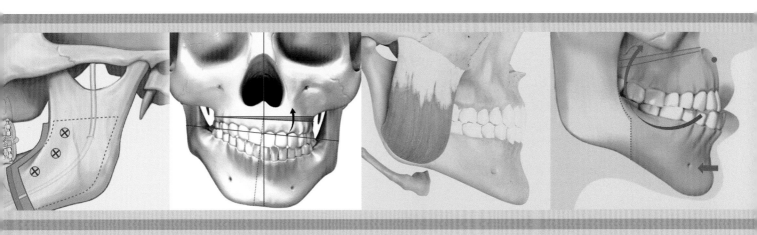

박흥식 석 윤 최영달 변성수 이명희 박상근 김기범 홍성범

首尔丽格
SeouLeaguer

동양인을 위한 미용양악수술

첫째판 1쇄 인쇄 | 2021년 6월 17일
첫째판 1쇄 발행 | 2021년 7월 1일

지 은 이 박홍식, 석윤, 최영달, 변성수 외 4인
발 행 인 장주연
출 판 기 획 최준호
책 임 편 집 권혜지
편집디자인 조원배
표지디자인 김재욱
일 러 스 트 유학영
발 행 처 군자출판사(주)
          등록 제4-139호(1991. 6. 24)
          본사 (10881) 파주출판단지 경기도 파주시 회동길 338(서패동 474-1)
          전화 (031) 943-1888   팩스 (031) 955-9545
          홈페이지 | www.koonja.co.kr

ISBN 979-11-5955-725-5
정가 100,000원

박흥식 (朴兴植) / Park, Heung Sik, M.D., Ph.D.

성형외과 전문의 (서울대학교병원)
서울대학교 의과대학 졸업
서울대학교 의과대학원 의학석사 (성형외과)
서울대학교 의과대학원 의학박사 (성형외과)
상하이 서울리거 의료미용병원 대표원장
전) 에뜨성형외과 대표원장
전) 이화여자대학교 의과대학 성형외과 주임교수
전) 서울대학교 의과대학 성형외과 외래교수
전) 서울대학교 의과대학 성형외과 악안면 전공 전임의
전) Visiting Professor, Department of Aesthetic Plastic Surgery, Beijing Hwangsi Hospital
대한 성형외과학회 정회원
대한 미용성형외과학회 정회원
대한 두개안면성형외과학회 정회원
대한 생체재료학회 정회원
Active Member,
ISAPS (International Society of Aesthetic Plastic Surgery)
Honorary Member,
COAPT Endotine Systems Medical Advisory Board
Patents: Lambda-shaped nasal implant(No, 0197523)

변성수 (邊聖洙) / Byun, Sung Soo, D.D.S.

구강악안면외과 전문의 (연세대학교 치과대학병원)
단국대학교 치과대학 졸업
연세대학교 치과대학원 치의학석사 수료 (구강악안면외과)
플라덴치과 구강악안면외과 대표원장
전) 화이트치과 구강악안면외과 원장
전) 포항해군병원, 해군2함대 군의관
대한구강악안면외과학회 정회원, 인정의
대한악안면성형재건외과학회 정회원, 인정의
대한구순구개열학회 정회원

이명희 (李明姬) / Li, Ming Ji, M.D.

마취과 부주임의사
연변대학교 의과대학 졸업
연변대학교 의과대학원 의학석사 (마취과)
상하이 서울리거의료미용병원 마취과 원장
전) 연변대학교 부속병원 마취과 부교수
전) 연길시립병원 주치의사
분당서울대학교병원 마취과 연수
미국 Florida Ocala Heart Institute 연수
삼성서울병원 심혈관외과 연수
중화마취학회 정회원
중국성형미용협회 마취진정진통분회 위원

최영달 (崔榮達) / Choi, Young Dal, D.D.S.

구강악안면외과 전문의 (연세대학교 치과대학병원)
연세대학교 치과대학 졸업
연세대학교 치과대학원 치의학석사 수료 (구강악안면외과)
상하이 서울리거의료미용병원 구강악안면외과 원장
전) GNG병원 구강악안면외과 원장
전) BK성형외과 치과 구강악안면외과 원장
전) 플라덴치과 구강악안면외과 대표원장
전) 화이트치과 구강악안면외과 원장
전) 공군 제16전투비행단 군의관
대한구강악안면외과학회 정회원, 인정의
대한악안면성형재건외과학회 정회원, 인정의
대한구순구개열학회 정회원

홍성범 (洪性范) / Hong, Sung Bum, M.D.

성형외과 전문의 (한림대학교 강남성심병원)

한림대학교 의과대학 졸업

상하이 서울리거의료미용병원 원장, 동사장

전) BK동양성형외과 대표원장

전) 동양성형외과 대표원장

대한성형외과학회 정회원

대한 미용성형외과학회 정회원

머리말

양악수술을 비롯한 악교정수술은 주로 부정교합의 치료를 위한 목적으로 오랜 기간 시행되어 왔고, 최근에는 미용성형 분야에서도 적극적으로 활용되고 있다. 얼굴뼈 수술을 미용적으로 시행하기 시작한 초창기에는 주로 사각턱수술이나 광대축소술 같은 안면윤곽 수술이 주를 이루었다. 안면윤곽수술은 넓고 강한 인상을 가진 얼굴을 작고 부드럽게 하려는 목적의 수술로, 동양인들 중에서 그런 요구를 가진 환자들이 많기 때문에 주로 한국, 일본, 중국 같은 동북아시아 국가들을 중심으로 발달되었다. 안면윤곽수술이 처음 시행되기 시작한 1980년대부터 약 20여년간 안면윤곽수술의 기술적인 부분에서 많은 발전이 있었지만, 안면윤곽수술만으로 얼굴뼈의 문제를 모두 해결할 수는 없다는 것을 깨닫게 되면서 2000년대 초반부터는 악교정수술을 미용적인 목적으로 적극적으로 시행하기 시작했고 안면윤곽수술과 악교정수술의 적응증에 대한 논의가 얼굴뼈미용수술 분야에서 중요한 화두가 되었다.

악교정수술에 관련된 책이나 논문은 이미 많이 나와있지만, 그 중 대부분은 부정교합의 치료를 위한 관점에서 기술되었고 미용성형의 관점에서 악교정수술을 다룬 책은 지금까지 거의 없었다. 악교정수술에서 기능적인 치료 효과에만 중점을 두고 미용적인 개선효과는 그저 부수적인 것이라고 여기다 보면 미용적인 개선을 위한 세밀한 부분을 간과하기 쉽고, 너무 미용적인 면에만 치중하여 양악수술의 적응증이 되지 않는 경우에까지 무분별하게 시행한다면 환자에게 굳이 필요하지 않은 큰 수술을 권하게 되는 우를 범할 수도 있다. 그렇기 때문에 얼굴뼈의 미용성형을 하려는 의사들이 필요로 하는 정확한 지식을 전달하려는 목적으로 이 책의 집필을 시작하게 되었다.

이 책의 제목을 군이 '동양인을 위한' 미용양악수술이라고 정한 이유는 미용성형 분야에서 악교정수술을 적극적으로 시행하는 빈도가 서양인에서보다 동양인에서 훨씬 많기 때문에 이런 특정한 환자군을 대상으로 진료하는 의사들만을 위해 쓰여진 책이 필요하리라는 생각에서였다. 동양인의 얼굴은 서양인과는 다른 특징을 가지고 있고 동양인이 선호하는 미적인 관점 역시 서양인과 차이가 있다. 인종마다 두부방사선사진 분석법의 계측 항목별 평균값이 다른 것은 물론이고, 그 외에도 동양인에서는 하악후퇴증보다 하악전돌증의 비율이 높다는 점, 게다가 턱이나 광대가 넓어서 악교정수술과 안면윤곽수술을 동시에 시행하기를 원하는 환자들이 많다는 점 등도 동양인의 미용적 얼굴뼈수술에서 서양인과 다르게 고려해야 할 점들이다.

성공적인 양악수술을 위해서는 여러 전문과가 하나의 팀을 이루어 진료하는 것이 중요하다. 이 책 저자의 대부분은 한국에서 오랜 시간 진료를 해오다가 좀더 넓은 무대에서 활동하기 위해 중국 상하이로 와서 같은 병원에서 근무하고 있다는 공통점을 가지고 있다. 성형외과, 구강악안면외과, 마취과, 교정치과 등 다양한 전문분야를 전공한 의사들이 팀을 이루어 동양인을 위한 얼굴뼈 미용성형수술을 중점적으로 진료하고 있고, 개원한 지 곧 10년을 앞둔 현 시점에 이미 중국 전체에서 얼굴뼈 미용성형수술을 가장 활발히 하고 있는 병원 중의 하나로 자리잡았다. 이 책은 어느 특정과의 관점에만 국한되지 않고 여러 분야의 전문가가 팀워크를 이루어 진료해온 생생한 임상경험을 바탕으로 기술되었다는 점에서 의미가 있다.

이 책은 양악수술에 관심을 가지고 있는 성형외과 의사, 미용적 얼굴뼈수술에 관심을 가지고 있는 구강악안면외과 의사, 악교정수술의사와 협진을 하고자 하는 교정치과 의사, 양악수술 마취에 관심을 가지고 있는 마취과 의사들을 대상으로 집필되었다. 이 책을 접하는 독자들 대부분은 아마도 이미 본인의 전공분야가 있는 전문의이거나 전공의일 것으로 예상되는 바, 얼굴뼈 미용성형을 위해 하나의 팀을 이루어 협진하고 있는 각 분야 전문의들의 통합된 관점을 기술한 이 책이 독자들의 미용양악수술에 대한 이해를 넓히는 데 조금이나마 도움이 된다면 집필진으로서는 더없는 보람이 되겠다.

이 책의 집필에 참여해주신 저자들과 그 가족분들, 스승님들, 병원에서 함께 고생하며 애써준 직원분들, 우리에게 책 이상의 가르침을 주신 환자분들, 그리고 출간을 위해 수고해주신 군자출판사 관계자 여러분께 감사의 말씀을 드린다.

2021년 3월

박흥식, 석윤, 최영달, 변성수, 이명희, 박상근, 김기범, 홍성범

목차

저자 (가나다순)

김기범 (金起範) / Kim, Ki Bum, D.M.D., M.S.D., Ph.D.

Board Certified, Diplomate of ICOI
경희대학교 치과대학 졸업
고려대학교 임상치의학대학원 치의학석사 (치과교정과)
연세대학교 대학원 치의학과 치의학박사
상하이 서울리거의료미용병원 교정치과 원장
전) 미소라인뉴욕치과 대표원장
전) 미국 Arizona 치과대학 교정과 연구원
전) 연세대학교 치과대학 외래부교수
미국 NYU 치과대학 교정과 임상수련
미국 UCLA 치대 심미치과센터 심미보철수복치과학 수련
미국 NYU 치과대학 Ashman 치주임플란트과 수련
대한치과교정학회 정회원
ICOI (Int'l Congress of Oral Implantologists) 펠로우,정회원

박상근 (朴相根) / Park, Sang Keun, M.D., Ph.D.

성형외과 전문의 (국립의료원)
동국대학교 의과대학 졸업
고려대학교 의과대학원 의학박사
상하이 서울리거 의료미용병원 원장
전) 국립의료원 성형외과 스태프
전) BK성형외과 원장
전) 중국 남경의과대학 부속 우의성형병원 한국대표원장
전) 중국 남경의과대학 겸임교수
미국 얼바인 캘리포니아 대학(UCI, University of California, Irvine) 성형외과 연수
대한 성형외과학회 정회원
대한 미용성형외과학회 정회원
대한 두개안면성형외과학회 정회원
International Member,
ASPS (American Society of Plastic Surgeons)
Active Member,
ISAPS (International Society of Aesthetic Plastic Surgery)

편집 저자

석 윤 (石 润) / Seok, Yoon, M.D.

성형외과 전문의 (가톨릭대학교 강남성모병원)

가톨릭대학교 의과대학 졸업

가톨릭대학교 의과대학원 의학석사 (성형외과)

가톨릭대학교 의과대학 성형외과 외래교수

상하이 서울리거의료미용병원 의료원장

플라덴성형외과 대표원장

전) BK동양성형외과 원장

전) JK성형외과 원장

전) 대만 장궁기념병원 두개안면센터 visiting scholar

대한성형외과학회 정회원

대한미용성형외과학회 정회원

대한두개안면성형외과학회 정회원

대한성형외과학회 악안면윤곽연구회 운영위원

International Member,

ASPS (American Society of Plastic Surgeons)

Active Member,

ISAPS (International Society of Aesthetic Plastic Surgery)

동양인을 위한
미용양악수술
Aesthetic Two Jaw Surgery for Asians
东方人的美容双颚手术

Chapter 5

미용양악수술을 위한 교정치료
(선수술, 선교정, 최소술전교정) | 김기범 |

Chapter 6

양악수술 환자의 안전관리, 마취 및 통증조절 | 이명희 |

Chapter 7

미용양악수술의 수술기법 | 박흥식, 변성수, 최영달, 석윤 |

Chapter 8 미용양악수술 후 관리

| 최영달, 이명희 |

Chapter 9 양악수술의 합병증과 예방

| 박상근 |

CHAPTER

01

미용양악수술의 개념

The Concept of Aesthetic Two-Jaw Surgery

| 석윤, 홍성범 |

1. 얼굴뼈 미용성형수술의 분류

미용적 목적으로 시행하는 얼굴뼈수술은 얼굴뼈의 모양을 다듬어서 미용적인 개선을 얻는 안면윤곽수술과 얼굴뼈의 위치를 변화시켜서 미용적, 기능적 개선을 얻는 악교정수술로 크게 나눌 수 있다.

안면윤곽수술은 1980년대 정도부터 한국, 일본, 중국 등의 동북아시아 국가들에서 턱이 넓고 각겨보이거나 광대가 돌출된 동양인의 얼굴 모습을 개선하기 위해 시작되었으며, 사각턱수술, 광대축소술, 앞턱축소술 등이 안면윤곽수술의 대표적인 종류에 해당한다. 얼굴뼈의 위치에 별다른 이상이 없고 단지 얼굴이 넓어 보인다면 안면윤곽수술을 통해 얼굴을 갸름하고 부드럽게 변화시키는 좋은 효과를 얻을 수 있다.

그러나, 심한 주걱턱(골격성 3급 안모), 심한 하악후퇴증(골격성 2급 안모), 하악이 편향되거나 교합면의 기울어짐이 동반된 양상의 안면비대칭, 상악의 길이가 과도해서 얼굴이 길어보이는 경우 등과 같이 얼굴뼈의 위치에 문제가 있어 미용적인 문제가 생긴 증례에서는 얼굴뼈의 모양을 다듬는 안면윤곽수술만으로 충분히 만족스러운 결과를 얻기에 한계가 있다.

얼굴뼈 미용성형수술에 대한 체계적인 개념이 아직 충분히 정립되지 않았던 과거에는 얼굴뼈의 위치에 문제가 있는 증례들에 대해서도 안면윤곽수술로 미용적 개선을 도모하려는 시도들이 있었지만, 이와 같이 적절하지 않은 적응증에 해당하는 환자에게 안면윤곽수술을 시행하게 되면, 수술이 아무리 잘 되었다 하더라도 만족스러운 결과를 얻기에 부족함이 있었기 때문에 2000년대에 들어서는 미용적 얼굴뼈 수술에 있어서 수술의 기술적인 문제보다 적절한 적응증에 대한 문제가 중요한 논의의 대상이 되기 시작했다.

얼굴뼈, 특히 악골의 위치가 정상적인 범위에서 벗어나 있어 미용적으로 개선이 필요한 문제가 있는 증례에서는 통상적인 안면윤곽수술이 아니라 악골의 위치를 이동시키는 수술을 해야 원하는 결과를 얻을 수 있는데, 이와 같이 악골의 위치를 이동시키는 수술을 악교정수술이라고 한다.

악교정수술은 상악이나 하악 중 한 개의 악골만 수술하는 편악수술, 상악과 하악을 모두 수술하는 양악수술, 상, 하악의 전방에 위치한 치조골의 위치를 이동하기 위해서 시행하는 전방분절골절단술(ASO: anterior segmental osteotomy) 등과 같이 수술을 시행하는 부위에 따라서 그 종류를 분류하는 방법이 일반적이며, 그 중에서 어떤 수술을 시행할지는 악골의 위치, 교합상태, 턱관절의 상태, 얼굴 모습 등을 종합적으로 고려해서 결정하게 된다.

한편, 악골의 위치에 문제가 있는 환자들은 미용적인 문제와 더불어 교합기능의 문제를 함께 가지고 있는 경우가 많기 때문에 악교정수술을 시행할 때는 미용적인 측면과 기능적인 측면을 동시에 고려하여 치료를 진행해야 한다.

2. 부정교합과 안면기형의 치료를 위한 악교정수술

초창기의 악교정수술은 19세기 중반-20세기 초에 걸쳐 유럽과 미국의 몇몇 학파들에서 악안면기형과 부정교합을 치료하기 위한 목적으로 시행되었으며, 부정교합을 치료하기 위한 하악의 악교정수술은 1849년 Hullihan이 anterior subapical mandibular osteotomy에 대해 기술한 것이 최초의 보고였다고 알려져있다.

근대의 악교정수술은 Obwegeser가 1955년에 구강내절개를 통한 하악지 시상절골술(intraoral sagittal split osteotomy of the mandible)에 대해 발표한 이후 본격적으로 발전하기 시작했으며, Hunsuck, Dal Pont, Epker 등이 Obwegeser의 방법에 기반을 둔 변형된 방법들을 보고하였다. Obwegeser는 1965년에 pterygomaxillary junction을 분리하고 상악을 안정적인 방식으로 재위치시키는 상악수술 방법에 대해 발표했고, 1970년에는 심한 하악전돌증 환자의 치료를 위해 상악 전진과 하악후퇴를 동시에 시행하는 방식의 양악수술에 대해 최초로 발표하기도 했다.

부정교합의 치료를 위해서 치아교정 방법이 이용되지만, 치아교정으로 치아를 이동할 수 있는 범위에는 한계가 있기 때문에 안면골의 위치 이상으로 인해 발생한 부정교합이 일반적인 치아교정으로 치료할 수 있는 범위를 넘어선 경우에는 악교정수술로 골격의 위치를 이동시켜야 한다.

이와 같이 악교정수술은 주로 부정교합이나 안면기형을 치료하기 위한 목적으로 이미 오래전부터 사용되어왔고, 악교정수술로 얼굴의 골격이 정상적인 위치로 회복되면서 얻어지는 미용적 개선효과도 부수적으로 얻을 수 있었다.

3. 안면윤곽수술의 효과와 한계

안면윤곽 수술의 대표적인 종류에는 하악축소술, 광대축소술, 앞턱수술 등이 있는데, 동양인을 대상으로 한 미용적 목적의 안면윤곽수술들은 크고 발달된 턱뼈나 광대뼈의 크기를 줄여서 작고 갸름하고 부드러운 얼굴을 만드는 효과를 얻기 위해 시행되는 경우가 가장 많다.

턱뼈의 크기를 줄이는 수술은 예전부터 흔히 사각턱수술이라고 불려왔는데, 이는 아마도 하악골이 크고 발달한 환자들에서는 하악각(Gonion) 부위 역시 큰 경우가 많고 이렇게 턱이 각진 모습이 특징적으로 눈에 띄기 때문에 하악각의 크기를 줄여야 턱이 작아진다고 생각했던 데서 기인한 것으로 보인다.

그러나, 턱뼈의 크기를 줄이는 안면윤곽수술은 단순히 하악각만 줄이는 데 국한되지 않고 하악체부(mandibular body)의 하연(lower border)과 하악각을 함께 다듬는 긴곡선절제술(long curved ostectomy)과 하악체부의 외측피질을 제거하는 외측피질절골술(lateral corticectomy)과 같은 기법들도 포함되기 때문에 사각턱수술이라는 명칭보다는 하악축소술(mandible reduction)이라는 명칭을 사용하는 것이 더 적절하다(그림 1-1, 2).

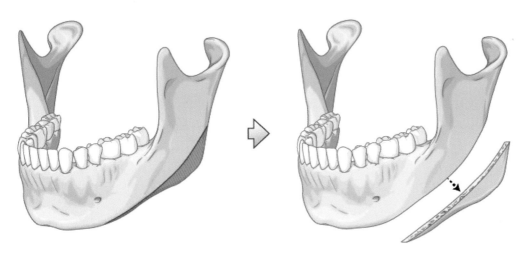

● 그림 1-1. **긴 곡선 절제술.** 하악각과 하악 체부를 부드럽고 긴 곡선으로 절제하는 방법이다.

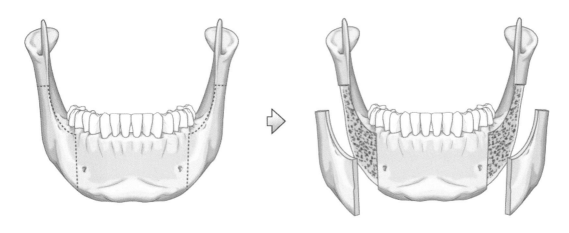

● 그림 1-2. **피질절골술.** 정면에서 보이는 얼굴의 폭을 줄이기 위해 하악의 외측피질층을 제거하는 절골법이다.

악골의 위치에 큰 이상이 없는 정상 안모에서 하악골이 크고 발달해 있다면 하악축소술을 통해 미용적 개선 효과를 얻을 수 있다. 좀 더 구체적으로 살펴보면 긴곡선절제술을 통해 뺨의 면적이 줄어드는 효과, 각진 하악각 부분이 부드러워지는 효과, 하악평면각(mandibular plane angle)이 증가되어 턱선이 갸름해지는 효과를 얻을 수 있다. 또한 피질골절골술을 통해서는 정면에서 볼 때 하안면부의 폭이 줄어드는 효과를 얻을 수 있다.

한편, 하악골의 안면윤곽수술은 하악골의 크기를 줄이려는 목적 뿐만 아니라 안면비대칭이 있는 환자, 얼굴의 길이가 너무 긴 환자, 앞턱왜소증(microgenia)이나 하악후퇴증(retrognathia) 있는 환자들에서 미용적 개선 효과를 얻기 위해 시행되기도 한다. 물론 이런 증례들 중에서도 안면윤곽수술만으로 충분한 미용적 개선 효과를 얻을 수 있는 경우가 있는가 하면 안면윤곽수술만으로는 좋은 효과를 얻기에 한계가 있어서 악교정수술을 같이 시행해야 바람직한 경우들도 있다.

안면윤곽수술로 좋은 효과를 기대했으나 예상과는 달리 불만족스러운 결과를 얻는 대표적인 경우들 중 하나로 주걱턱 특징을 보이는 골격성 3급 안모를 들 수 있다. 골격성 3급 안모는 턱이 앞으로 나와있는 하악전돌증(mandibular prognathism) 환자에서 관찰되는 특징적인 얼굴 형태인데, 하악전돌증이 있는 경우 턱의 실제 크기가 크기도 하거니와 앞으로 턱이 나와서 하안면부가 유난히 커보이기도 한다(그림 1-3).

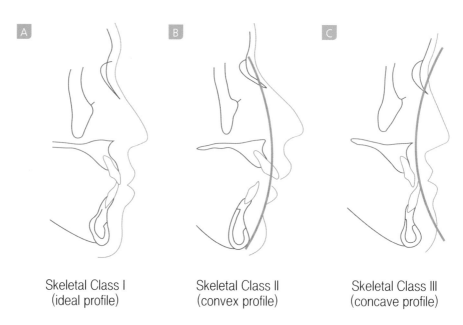

Skeletal Class I
(ideal profile)

Skeletal Class II
(convex profile)

Skeletal Class III
(concave profile)

● 그림 1-3. **상,하악의 위치 관계에 따른 얼굴 측면 모습의 분류. (A)** 이상적인 골격성 I급 안모 **(B)** 볼록한 형태의 골격성 II급 안모 **(C)** 오목한 형태의 골격성 III급 안모

골격성 3급 안모를 가진 환자에서 턱이 커보인다는 이유로 통상적인 안면윤곽수술(하악축소술)을 하게 되면 하악골의 폭과 길이만 줄어들고 앞뒤 길이는 줄어들지 않기 때문에 미용적으로 충분한 개선 효과를 얻기에 한계가 있다. 즉, 주걱턱 특징이 남아있는 좁은 얼굴이 되어 3차원적인 관점에서 볼 때 미용적

으로 적절한 비율을 이루기가 어려워진다. 또한 이런 경우에 피질절골까지 같이 하게 되면 하악 체부의 외측피질이 얇아져서 추후에 환자가 악교정수술로 주걱턱을 개선하려고 할 때 하악지시상절골술(SSRO) 을 시행하기가 기술적으로 어려워질 수 있다.

골격성 3급 안모를 가진 환자에서 충분한 미용적 개선을 얻기 위해서는 악교정수술을 통해 하악을 전체적으로 후방으로 이동시켜야 하는데, 악교정수술의 규모가 크다는 이유 때문에 앞턱만 절골하여 뒤로 이동시키는 앞턱후퇴술(set back genioplasty)만 받고 싶다고 하는 환자들을 간혹 볼 수 있다.

하악전돌증에서 앞턱후퇴술을 시행할 경우, Pogonion만 뒤로 이동되고 B point는 이동되지 않기 때문에 하순과 앞턱 사이의 자연스러운 곡선이 밋밋해져 미용적으로 바람직하지 않은 결과가 발생할 위험이 있다(그림 1-4).

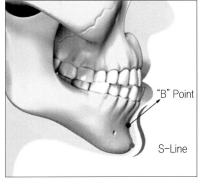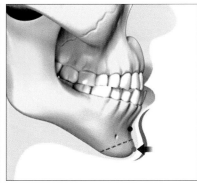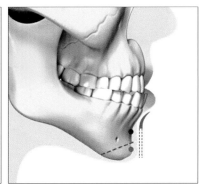

● 그림 1-4. 하악전돌증에서 하악의 전체적인 위치를 뒤로 이동시키지 않고 앞턱만 절골하여 뒤로 이동시키면 하순과 앞턱 사이의 자연스러운 곡선이 밋밋해져 부자연스러운 결과가 생길 수 있다.

상악과 하악의 전체적인 위치는 비교적 정상 범위 내에 있고 앞턱만 유난히 앞으로 튀어나온 경우라면 앞턱후퇴술로도 어느 정도 만족스러운 결과를 얻을 수 있겠지만, 실제로 그런 상태의 얼굴보다는 하악이 전체적으로 앞으로 나와있는 경우가 훨씬 더 많기 때문에 앞턱후퇴술로는 미용적으로 만족스럽지 못한 결과를 얻게 되는 경우가 많은 것이다.

이와 같이 안면윤곽수술로 좋은 효과를 볼 수 있는 환자도 있지만 그렇게 하기에는 한계가 있는 상태의 환자도 있기 때문에 미용 목적의 얼굴뼈수술을 하려고 할 때는 정확한 얼굴분석을 통해 안면윤곽수술만 해도 되는지 악교정수술을 함께 해야 하는지를 판단해야 한다. 이와 관련해서는 이 장의 후반부에서 좀 더 상세히 설명하고자 한다.

악골의 위치가 악교정수술을 필요로 하는 상태임에도 불구하고 환자의 요청에 의해 어쩔 수 없이 안면윤곽수술만 하게 되는 경우도 간혹 있는데, 이럴 경우에는 환자의 얼굴 진단 결과와 안면윤곽수술의 한계에 대해 환자가 충분히 이해할 수 있도록 수술 전에 미리 설명하고 서면동의서를 받아야 수술 후 분쟁이 생기는 확률을 줄일 수 있다.

4. 미용성형 관점에서의 악교정수술

안면윤곽수술만으로는 충분한 미용적 개선 효과를 얻기에 한계가 있는 증례들이 있다는 것을 알게 되면서 미용적 얼굴뼈수술 분야에서 악교정수술이 적극적으로 활용되기 시작했다.

미용적 목적의 악교정수술 역시 기존에 부정교합이나 안면기형 치료의 목적으로 시행되어오던 악교정수술과 수술기법이나 원리 면에서는 크게 다르지는 않으나, 수술 적응증을 부정교합의 유무가 아니라 얼굴 모습에 영향을 주는 얼굴골격 위치 이상의 유무로 판단한다는 점에서 기존의 악교정수술과 차이가 있다. 또한, 치아교정을 하지 않고 순수히 미용적 목적만을 위해 술전 교합을 유지하면서 양악수술을 하는 경우도 있다는 점, 편악수술만으로 부정교합이 개선될 수 있더라도 미용적인 개선을 위해 상악의 위치 변화가 추가로 필요하다면 좀 더 적극적으로 양악수술을 고려한다는 점, 미용적 개선을 위한 안면윤곽수술이나 연조직 성형수술까지도 함께 고려한다는 점 등도 미용적 악교정수술이 기존의 악교정수술과 차이가 있는 부분이라고 할 수 있다.

앵글씨 분류(Angle's classification)상 3급 부정교합이나 2급 부정교합을 가진 환자들은 얼굴 모습 역시 골격성 3급이나 골격성 2급 안모를 가진 경우가 많지만, 모든 경우에 있어서 교합과 골격의 패턴이 일치하는 것은 아니다. 3급 부정교합을 가지지 않은 환자들 중에서도 얼굴 모습은 골격성 3급 안모의 특징을 보일 수 있는 것이다(그림 1-3, 5).

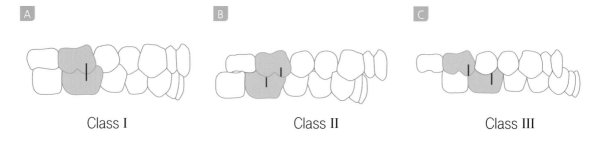

Class I   Class II   Class III

● 그림 1-5. **Angle의 분류법.** Angle은 상악과 하악의 제1대구치의 위치관계를 기준으로 부정교합을 3가지로 분류했다. **(A)** I급 부정교합 **(B)** II급 부정교합 **(C)** III급 부정교합

2006년 Jin 등은 구치부의 교합은 정상적인데도 하악골이 수직적 또는 전후방적으로 발달된 골격적 3급 안모를 가져서 하안면부가 커보이는 경우가 동양인에 많다는 점을 지적하면서 이런 경우에는 양악수술을 통해 악골의 위치를 이동시켜야 하안면부를 효과적으로 축소할 수 있다고 보고했다. 악교정수술을 부정교합을 치료하기 위한 수술로만 생각한다면 이런 종류의 증례에서는 교합에 문제가 없기 때문에 악교정수술이 필요하지 않다고 판단하게 되겠으나, 미용적 양악수술의 관점에서 본다면 통상적인 안면윤곽수술만으로 이런 증례에서 충분한 미용적 개선 효과를 얻기에는 한계가 있기 때문에 부정교합의 유무와 상관 없이 골격의 위치를 수정하기 위해 양악수술을 시행해야 하는 적응증에 해당한다고 보게 되는 것

이다.

비단 골격성 3급 안모에서 뿐만 아니라 상악의 좌우 길이가 다르고 교합면이 얼굴의 수평 기준선에 비해 기울어져 있는 양상의 안면비대칭, 상악의 길이가 길어서 치아가 많이 노출되어 보이고 웃을 때 잇몸이 많이 보이는 양상의 긴얼굴, 전방분절골절단술(ASO)이 필요하지 않을 정도로 경미하게 입이 돌출되어 보이는 증례들 역시 미용적 악교정수술에서는 부정교합의 유무와 상관 없이 양악수술을 필요로 하는 증례에 해당한다.

악교정수술을 부정교합 치료의 목적으로 보는 관점에서는 부정교합의 원인이 되는 악골 위치의 문제를 개선하기 위해 수술을 하는 것이기 때문에 상악과 하악이 이루는 위치 관계를 수술로 변화시켜야 하는 경우가 대부분이고, 이와 같이 상악과 하악의 위치 관계가 변하면 새로운 악골의 위치에 맞는 새로운 교합을 만들기 위해 수술 전과 후에 치아교정이 수반되어야 한다.

미용적 악교정수술에서 역시 수술 중 상악과 하악의 위치관계가 변할 것으로 예상되는 증례라면 당연히 수술 전후로 치아교정이 수반되어야 하지만, 교합은 정상인데 얼굴 모습에 문제가 있어 미용적 목적으로 악교정수술을 시행하는 증례에서는 술전 교합상태를 그대로 유지하면서 상악과 하악을 함께 움직이게 되기 때문에 수술 전후에 치아교정을 시행하지 않는 경우도 종종 있다. 또한, 이와 같이 술전 교합을 유지하면서 얼굴모습의 변화만을 위해 악교정수술을 시행하는 증례에서는 상악과 하악이 함께 움직여야 하기 때문에 미용적 악교정수술에서는 기존의 악교정수술에서보다 양악수술을 시행하는 빈도가 높아지는 경향이 있다.

악교정수술을 부정교합 치료를 위한 목적으로 시행할 때도 교합의 안정성을 위해 상악을 이동시키는 경우가 있지만, 미용적 악교정수술에서는 교합 개선을 위해 상악을 이동해야 하는 경우가 아니라 하더라도 얼굴 모습의 미용적 개선을 위해 상악의 위치 변화가 필요하다면 좀 더 적극적으로 양악수술을 시행하게 된다. 예를 들어 하악전돌증으로 인한 3급 부정교합이 있고 상악의 전후방적 위치에는 별다른 문제가 없지만 교합면(occlusal plane)이 평평한 증례의 경우에 하악골후퇴술을 시행한다면 3급 부정교합 문제는 개선되겠지만 얼굴 모습에 있어서 주걱턱 특징은 완전히 없어지지 않을 것이다. 이럴 때 부정교합의 치료만을 목적으로 한다면 편악수술만 시행해도 되겠지만 미용적 악교정수술에서는 남아있는 주걱턱 모습을 개선하기 위해 상악의 시계방향회전(clockwise rotation)을 추가로 계획하게 되어 양악수술을 고려해야 할 적응증으로 보게 되는 것이다.

5. 증상에 따른 얼굴뼈 미용성형수술 방법의 선택

1) 주걱턱 특징을 보이는 얼굴

골격성 3급 패턴의 얼굴모습을 가지고 있더라도 본인의 교합에 크게 불편함을 느끼지 않는 환자는 턱

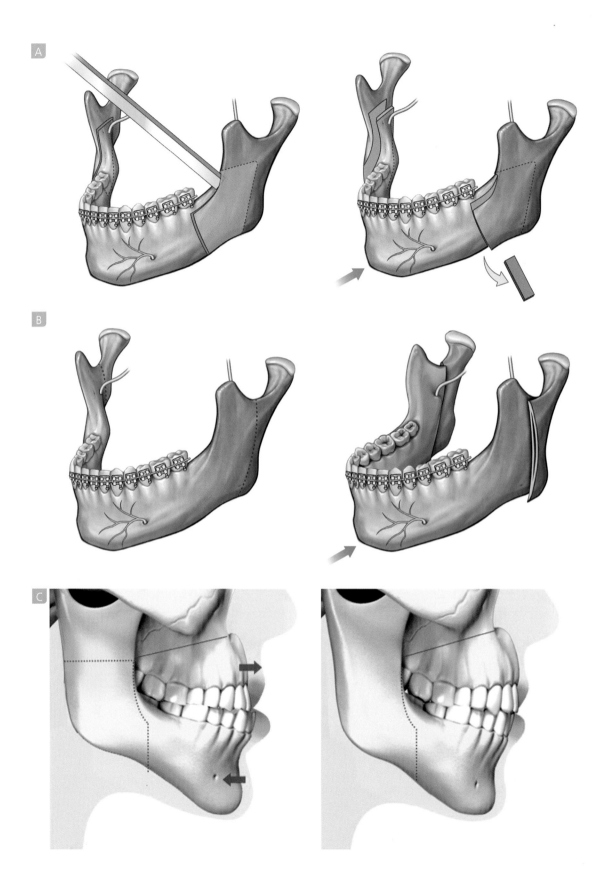

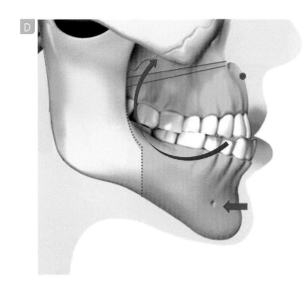
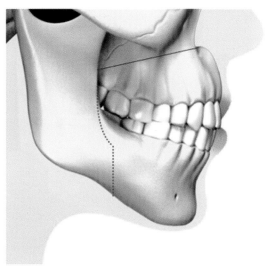

● 그림 1-6. **주걱턱을 개선하기 위한 악교정수술 방법들. (A)** 하악지시상절골(SSRO)을 이용한 하악후퇴. **(B)** 하악지 수직절골(IVRO)을 이용한 하악후퇴. **(C)** 상악의 전진과 하악의 후퇴를 위한 양악수술. **(D)** 상,하악의 시계방향 회전을 위한 양악수술

이 커보이는 증상만을 개선하기 원하는 경우가 종종 있다. 하지만, 이 장의 전반부에서 안면윤곽수술의 한계를 논할 때 기술한 바와 같이 이런 경우에 악교정수술을 통해 악골의 전체적인 위치를 개선하지 않고 하악축소술만을 시행하거나 턱이 앞으로 나와보이는 증상을 개선하기 위해서 앞턱만 절골해서 뒤로 이 동시키는 수술 (set-back genioplasty)를 시행하게 되면 미용적으로 기대에 못 미치는 결과를 얻을 확률이 많으므로 주의해야 한다(그림 1-4).

턱이 커보이면서 주걱턱 모습을 함께 보이는 경우에는 그것이 상악과 하악의 전체적인 위치의 문제인 지 단지 앞턱만 튀어나와서 그렇게 보이는지를 살펴보아야 한다. 만약 후자의 경우라면 앞턱후퇴술과 하 악축소술을 시행하면 되겠지만, 전자의 경우라면 악골의 전체적인 위치를 개선하기 위한 악교정수술을 고려해야 한다(그림 1-6).

주걱턱 모습을 보이는 환자들 중에는 구치부의 3급 부정교합(그림 1-5)과 함께 하악 전치가 상악 전치 보다 앞으로 나온 전치부 반대교합(그림 1-7B)을 보이는 경우가 많지만, 치아의 보상작용(compensation) 에 의해 상악과 하악 전치가 맞닿아 있는 edge bite(그림 1-7C)을 가지고 있거나 전치부 반대교합을 전혀 보이지 않는 경우도 있기 때문에 전치부의 반대교합 여부로 악교정수술이 필요한지 여부를 판단해서는 안되고, 골격의 위치에 이상이 있는지 여부를 보고 악교정수술이 필요한지 아닌지를 판단해야 미용적으 로 바람직한 결과를 얻을 수 있다.

● 그림 1-7. **(A)** 정상적인 교합에서는 상악 전치가 하악 전치를 살짝 덮고 있다. **(B)** 전치부 반대교합. 하악이 상악보다 전방으로 돌출되어 하악 전치가 상악 전치보다 앞으로 나와 있다. **(C)** Edge bite. 상악 전치와 하악 전치가 서로 맞닿아 있다.

상악과 하악의 위치에 문제가 있는지의 여부는 악교정수술을 위한 얼굴 분석을 통해 파악할 수 있는데, 얼굴의 경조직과 연조직을 분석하는 데는 여러가지 종류의 방법들이 있고 수술을 하는 의사들마다 각자 중요하게 참고하는 계측치의 종류가 다를 수 있다. 이와 관련한 내용은 제3장 악교정수술을 위한 진단 및 분석법에서 좀 더 상세히 설명하고자 한다.

2) 무턱/돌출입 특징을 보이는 얼굴

골격성 2급 패턴의 안모에서는 흔히 '무턱'이라고 부르는 모습, 즉 앞턱이 작고 뒤로 빠져있는 모습을 보이면서 그로 인해 전체적인 얼굴은 중안면부가 볼록해보이고 입은 돌출되어 보이는 증상이 동반되는 경우가 많다.

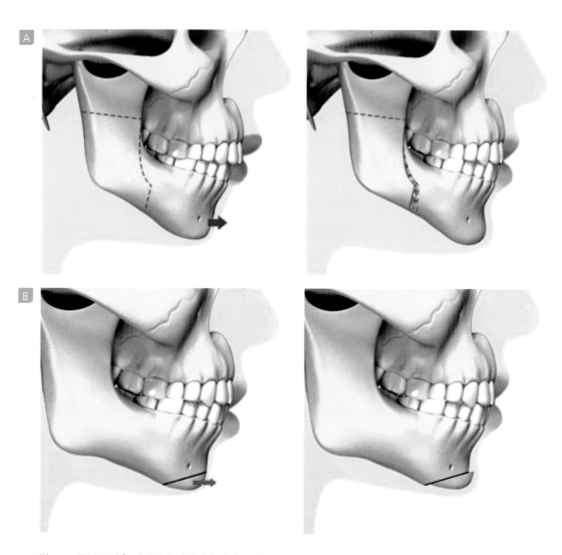

● 그림 1-8. **무턱 증상을 개선하기 위한 수술방법. (A)** 하악후퇴증에서의 하악전진술. **(B)** 앞턱왜소증에서의 앞턱전진술.

상악의 전후방적 위치에 문제가 없는데 골격성 2급 안모가 보인다면 하악의 전체적인 위치가 후방에 위치한 하악후퇴증(retrognathia)이나 하악의 전체적인 위치는 비교적 정상적이지만 앞턱이 왜소한 앞턱왜소증(microgenia)으로 진단할 수 있겠는데, 전자의 경우에는 악교정수술을 통해 하악의 전체적인 위치를 앞으로 이동시키고 후자의 경우에는 앞턱만 절골해서 앞으로 전진시키는 앞턱전진술을 하는 것이 원칙적인 치료방법이다(그림 1-8 A, B).

하악후퇴증이 있는 환자에서는 치아의 보상작용(compensation)에 의해 하악의 전치부분이 labioversion되어 있는 경우가 많으며 그런 상태로는 하악전진술을 바로 시행하기 곤란하기 때문에 수술 전 교정을 통해 하악이 앞으로 전진할 수 있을 만큼의 수평피개(overjet)를 확보하고 나서 악교정수술을 진행하게 된다.

하악후퇴증이 있어 하악전진술이 필요함에도 불구하고 환자가 악교정수술을 받기를 원하지 않아 앞턱전진술만 시행하게 되는 경우도 있다. 하악전돌증에서 앞턱후퇴술을 할 경우 미용적으로 바람직하지 못한 결과가 나올 가능성이 높은 것과는 달리, 저자의 임상적 경험에 의하면 하악후퇴증에서의 앞턱전진술은 어느 정도 받아들일만한 결과를 낼 수 있는 절충치료(camouflage) 방안이 될 수도 있다. 그러나 하악전치의 순측전위(labioversion)가 심한 경우에 앞턱의 전진량이 너무 많으면 하순과 앞턱 사이의 고랑이 깊어져서 부자연스러운 결과를 얻을 수 있다는 점을 유의해야 한다.

앞턱왜소증이 있는 경우는 앞턱전진술의 적응증에 해당하며, 뼈 수술 이외의 절충치료 방법으로는 앞턱보형물 삽입술, 앞턱 지방이식, 앞턱 필러주사 등이 있다.

만약 상악이 전방으로 돌출되어 상대적으로 하악이 뒤로 들어가있는 것처럼 보이는 경우라면 상악의 전방분절골절단술(ASO), 분절형 르포씨 1형 절골술(segmental Le Fort I osteotomy), 또는 르포씨 1형 절골술(Le Fort I osteotomy) 등을 통해 상악을 후퇴시켜야 한다. 다만, ASO를 하지 않고 상악을 전체적으로 뒤로 들어가게 하면 airway가 좁아질 위험이 있으므로 르포씨 1형 절골술만으로 상악을 후방이동하려고 할 때는 그 이동량이 과도해지지 않도록 주의해야 한다.

상,하악 치조골이 모두 전방으로 돌출된 양악전돌증(Bimaxillary protrusion)으로 인해 입이 돌출되어 보이고 무턱의 모습이 보인다면 상,하악의 전방분절골절단술(ASO)을 고려해야 하고, 그렇게 해도 무턱의 모습이 충분히 개선되지 않을 것같다면 ASO와 앞턱전진술을 동시에 시행할 수도 있다.

3) 긴 얼굴

하악골의 길이가 길어서 얼굴이 길어보일 때는 앞턱에 2개의 수평절골을 한후 앞턱 중간부분의 뼈를 제거하여 앞턱의 길이를 줄이고 하악체부의 하연을 절제하는 안면윤곽수술을 통해 하악 체부의 수직적 길이도 줄여 얼굴이 짧아보이게 하는 효과를 얻을 수 있다(그림 1-9A). 만약 상악의 길이가 긴 것이 얼굴이 길어보이는 원인이라면 상악의 길이를 줄이기 위해 양악수술이 필요하고(그림 1-9B), 상악과 하악이 모두 길다면 양악수술과 안면윤곽수술을 함께 시행할 필요가 있다.

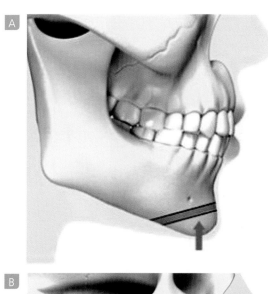
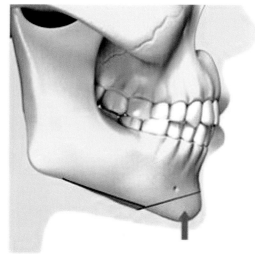
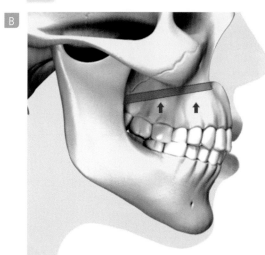
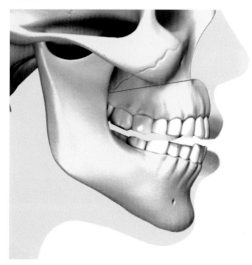
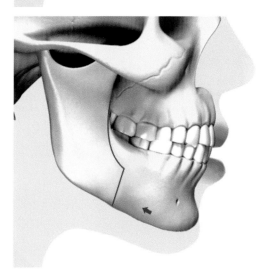

● 그림 1-9. 긴 얼굴의 원인에 따른 수술 방법의 선택. **(A)** 하악의 길이가 긴 경우에는 앞턱길이축소술 (vertical reduction genioplasty)과 하악하연절제술 (mandibular lower border contouring)로 길이를 줄인다. **(B)** 상악의 길이가 길어 윗 앞니의 노출량이 많거나 웃을 때 잇몸이 많이 보인다면 양악수술을 통해 상악의 길이를 줄인다.

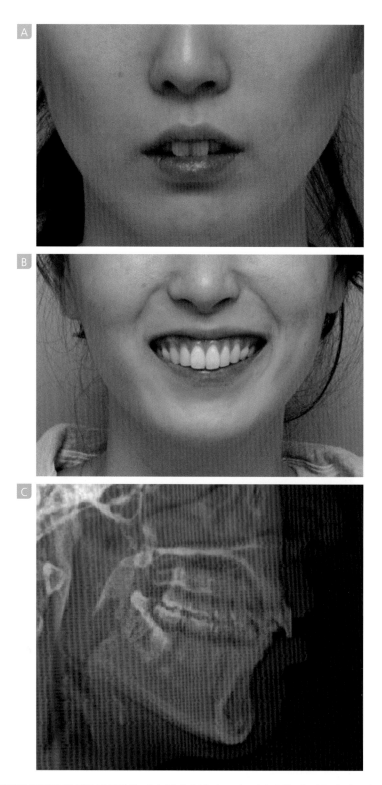

● 그림 1-10. **상악의 길이가 긴 경우의 특징들.** **(A)** 앞니가 많이 보이고 **(B)** 웃을 때 잇몸이 과도하게 노출된다면 양악수술로 상악의 길이를 줄여야 하는 적응증에 해당한다. **(C)** 윗입술 밑으로 윗 앞니의 노출량이 많은 특징을 측면 엑스레이를 통해서도 알 수 있다.

상악의 수직적 길이가 긴 경우에는 얼굴이 길어보일 뿐만 아니라 입술 주변의 연부조직이 골격을 충분히 덮지 못하기 때문에 윗입술 밑으로 보이는 상악 전치의 노출량이 많아보이고 웃을 때 잇몸이 과하게 노출되어 보인다(그림 1-10). 또한, 입술에 힘을 주어야 입이 다물어지기 때문에 입을 다문 모습이 부자연스럽고 앞턱의 근육이 수축되어 앞턱의 피부에 골프공의 표면과 같은 울퉁불퉁한 주름이 잡히는 경우도 있다. 따라서, 입술에 힘을 뺀 상태에서 촬영한 측면 얼굴뼈 엑스레이에서 상악 전치부의 노출량이 과도하다면 상악의 수직적 길이가 얼굴을 길어보이게 하는 원인이라고 생각하고 양악수술을 통해 상악의 길이를 줄여야 미용적으로 좋은 결과를 얻을 수 있다. 미용적으로 적절한 상악 전치부의 노출량은 인종마다 다를 수 있는데, Choi등이 한국인을 대상으로 조사한 평균치는 대략 2.74 mm내외였다.

4) 안면비대칭

(1) 상악골의 양쪽 길이가 달라서 교합면이 기울어진 증상(canting)이 있는 경우라든지(그림 1-11C) 상악의 치아중심선이 얼굴의 중심선과 일치하지 않고 치아교정으로 개선할 수 있는 정도의 양을 넘어선 경우는 양악수술을 통해서 상악의 위치를 개선해야 하는 적응증에 해당한다. 교합면이 기울어진 증상이 있는 경우에는 입술이 기울어져서 양쪽 입꼬리의 높이가 달라보이는 증상이 동반되는 경우가 많다.

(2) 상악의 위치는 정상적이지만 하악의 중심선이 한쪽으로 치우쳐서 안면비대칭이 나타났다면 하악의 위치만 이동시키는 편악수술(one jaw surgery)만 시행해도 되는 경우에 해당한다(그림 1-11B).

(3) 상악이나 하악의 위치는 정상적이지만 턱뼈의 좌,우 모양이 달라서 안면비대칭이 나타난 경우라면 악교정수술을 하지 않고 하악축소술이나 앞턱수술 같은 안면윤곽수술만으로도 좋은 결과를 얻을 수 있는 적응증에 해당한다. 이런 경우에는 하악골을 잘라내는 좌, 우의 모양에 의도적으로 차이를 두어서 턱뼈의 모양을 대칭적으로 개선할 수 있다(그림 1-11A).

● 그림 1-11. **비대칭의 원인에 따른 수술 방법의 선택.** **(A)** 악골의 위치는 정상적이지만 뼈의 크기와 모양이 다른 경우는 굳이 악교정수술을 하지 않고 하악축소술이나 앞턱수술만 비대칭적으로 시행해도 되는 적응증에 해당한다. **(B)** 상악의 위치는 정상적이지만 하악이 한쪽으로 치우쳐 있는 경우는 편악수술의 적응증에 해당한다. **(C)** 교합면이 기울어 있거나 상악 전치의 위치가 얼굴 중심선에서 현저히 벗어난 경우는 양악수술로 상악의 위치를 바로잡아야 한다.

물론, 안면비대칭의 경우에는 골격의 위치나 형태뿐만 아니라 얼굴의 연부조직에 의해서도 많은 영향을 받기 때문에 수술을 계획할 때 반드시 연부조직의 대칭에 대해서도 함께 고려해야 하며, 수술을 통해서 비대칭을 개선할 수는 있지만 완벽한 대칭을 만들기에는 한계가 있을 수 있다는 점을 미리 환자에게 알려주어야 한다.

참고문헌

1. 대한미용성형외과학회. 미용성형외과학. Chapter 18. Mandible Reduction. 군자출판사. 2014.

2. 박재억. 악교정수술학. 군자출판사. 2003.

3. Alex M. Greenberg, Joachim Prein. Craniomaxillofacial reconstructive and corrective bone surgery : principles of internal fixation using the AO/ASIF technique. Chapter 50. Mandibular Osteotomies and Considerations for Rigid Internal Fixation. Springer. 2002.

4. B Choi, SH Baek, WS Yang , S Kim. Assessment of the relationship among posture, maxillomandibular denture complex, and soft-tissue profile of aesthetic adult Korean women. J Craniofac Surg 11: 586-94, 2000.

5. H Jin, BH Kim, YJ Woo. Three-dimensional mandible reduction : correction of occlusal class I in skeletal class III cases. Aesthetic Plast Surg. 2006 Sep-Oct;30(5):553-9.

6. Jeffrey C. Posnick. Principles and practice of orthognathic surgery. Elsevier Health Sciences. 2013

7. S. Anthony Wolfe, Samuel Berkowitz. Plastic surgery of the facial skeleton. Little, Brown and Co. 1989

CHAPTER

동양인 얼굴의 미학

Facial Aesthetics for Asian

| 박흥식 |

1. 아름다운 얼굴이란 무엇인가?

아름다운 얼굴이란 무엇인가라는 질문에 대해 철학자, 성형외과의사, 정신과의사 그리고 미학자들의 논쟁은 계속되어 왔다. 그리고 얼굴의 "미"는 과학, 철학, 사회문화적 현상의 관점에서 연구되어 왔다. "미"에 대한 원리는 인간 얼굴에서 미용적 얼굴의 서브유닛(subunit)의 배치에 대한 하모니와 밸런스가 포함된다. 최근 몇몇 학자들은 황금비율의 개념을 이용하여 얼굴의 "미(beauty)"를 획일화시키려는 시도를 해왔지만 Holland는 아주 훌륭한 균형(divine proportion)이나 황금비율(golden ratio)이 이상적인 얼굴 모양을 나타내지는 못한 것처럼 보인다고 하면서 도리어 얼굴의 매력도에 관한 전통적인 형태분석이 많은 제약점을 드러냈다고 하였다.

평균의 얼굴과 매력적인 얼굴의 중요성에 관련해서 논란의 여지는 있지만 Perrett et al. 은 매우 매력적인 얼굴 형태는 평균이 아니라고 주장해왔다. 또한 다른 많은 저자들도 평균적인 얼굴과 매력적으로 여겨지는 얼굴과는 차이가 있다고 하면서 매력적인 얼굴은 인종별로 상당히 다르다고 보고하였다. 아시아인과 서양인 사이의 선호되는 "미"에 대한 미용적인 특징에 있어서 명확한 차이가 있음에도 불구하고 얼굴의 "미"에 대한 시각의 전반적인 융합(global fusion)도 동시에 일어나고 있다. 앞으로 얼굴의 "미"에 대한 트랜드는 과거 획일화된 "미"에 대한 관점 대신에 개개인의 개성과 독특성의 가치가 인정되는 쪽으로 지속적으로 변해갈 것이다.

2. 동양인의 매력적인 얼굴

Seung Chul Rhee는 컴퓨터화 된 모핑 시스템(morphing system)으로 다른 인종들의 매력적인 얼굴의 전형적인 예가 되는(exemplify) 합성 얼굴을 보고하였다.

● 그림 2-1. **서로 다른 인종의 매력적인 합성 얼굴들.** 매력적인 유명한 여성 연예인들의 얼굴 사진들을 순차적으로 모핑 (morphing) 시켜서 합성얼굴 사진들을 만들었다. 매력적인 아프리칸의 합성얼굴(맨 왼쪽)은 13명의 아프리칸 여성 모델얼굴 을 이용하여 합성하였다(Agbani Darego, Beveryl Peele, Brandi Quinones, Faustina Agolley, Kate Tachie-Menson, Lerato Moloi, Pearl Amoah, Rihanna, Soraya Khalil, Waris Dirie, Yamin Warsame, Yvette Nsiah, and Zoe Saldana).
매력적인 서양여성의 합성사진 (중앙 왼쪽)은 16명의 유명한 서양 여성 스타들의 얼굴을 합성하였다(Aishwarya Rai, Alexis Bledel, Angelina Jolie, Ashley Olsen, Blake Lively, Brooklyn Decker, Ciara Harris, Elisabetha Canalis, Eva Longoria, Hayden Panetierre, Hillary Duff, Jessica Alba, Mandy Moore, Marissa Miller, Megan Fox, and Scarlet Johansson).
중앙 오른쪽의 합성얼굴은 20명의 매력적인 중국여성 연예인들의 얼굴을 합성하였다(Li Gong, Bingbing Li, Bingbing Fan, Vivian Hsu, Jingles Xu, Dee Hsu, Wei Tang, Yifei Liu, Jacqueline Li, Chiling Lin, Qinqin Jiang, Maggie Cheung, Cecilia Cheung, Yuqi Zhang, Zilin Zhang, Feifei Sun, Huang Sheng Yi, Xun Zhou, Gillian Chung, and Ziyi Zhang).
매력적인 일본여성의 합성사진(맨 오른쪽)은 14명의 매력적인 일본 연예인 얼굴을 합성하였다.(Nagasawa, Nanako Matsusima, An Watanabe, Riyo Mori, Erika Sawajiri, Juri Ueno, Miho Yoshioka, Namie Amuro, Norika Fujiwara, Nozomi Sasaki, Yuu Aoi, Ryoko Hirosue, Kyoko Fukada, and Mina Hayashi).
출처(Seung Chul Rhee • Soo Hyang Lee: Attractive Composite Faces of Different Races, Aesth Plast Surg 34:800-801, 2010)

매력적인 얼굴은 그 인종의 평균적인 얼굴과는 다른 특징을 보인다. 매력적인 아프리카인 얼굴은 일반적인 아프리카인 얼굴에 비해 좁은 코, 작고 예리한 눈, 작은 윗입술을 가지며 턱이 호리호리하였다. 매력적인 백인 여성의 얼굴은 좀 남성적인 모습을 보였다. 평균적인 얼굴보다 눈꺼풀 사이가 좁고 각이 지고 사각형 모양의 아래턱, 돌출된 광대, 그리고 입술이 충만하였다. 매력적인 일본인 합성얼굴은 약간 눈꼬리가 올라간 눈, 뾰족한 턱끝, 통통한 볼살 그리고 상대적으로 약간 긴 얼굴이 특징이다. 중국인의 매력적인 얼굴은 상대적으로 좁은 볼, 슬림하고 갸름한 얼굴 그리고 홀쭉하고 긴턱을 가지고 있었다. 이런 합성 얼굴들이 가장 매력적인 얼굴의 기준은 아니지만 서로 다른 인종의 매력적인 얼굴의 비밀이나 최근의 형태, 밸런스, 그리고 하모니를 이해하기 위한 좋은 예들이다. 문화의 다양성을 이해하고 다른 인종의 "미"의 개념(concept)이 우리의 "미"에 대한 개념과 다르다는 것을 이해해야 한다.

이후 서양인과 아시아인의 매력적으로 여겨지는 얼굴 형태를 수학적으로 자세히 나타내어 매력적인 서양인과 동양인 얼굴의 유사한 점과 차이점이 발표되었다.

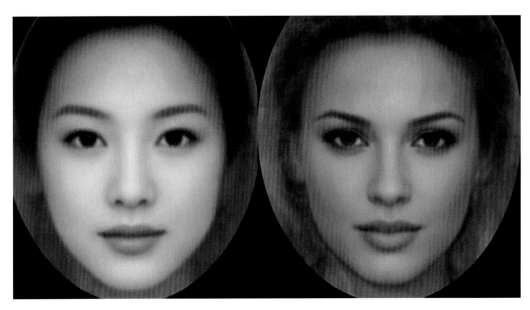

● 그림 2-2. **매력적인 동양인과 서양인 정면 합성 얼굴** 매력적인 동양인 합성얼굴(왼쪽)과 서양인 합성얼굴(오른쪽). 매력적인 동양인 얼굴은 20명의 중국, 14명의 일본, 10명의 한국 여자 연예인의 얼굴을 모핑(morphing)해서 얻었다. 매력적인 서양여성의 합성사진은 16명의 유명한 서양 여성 스타들의 얼굴을 합성하였다(동공사이간 거리(동양인: 63.5 mm 서양인: 61.47 mm)를 이용하여 최대한 사진의 크기를 정확하게 표준화하였다.).
출처(S. C. Rhee: Differences between Caucasian and Asian attractive faces, Skin Res Technol 24:73-79, 2018)

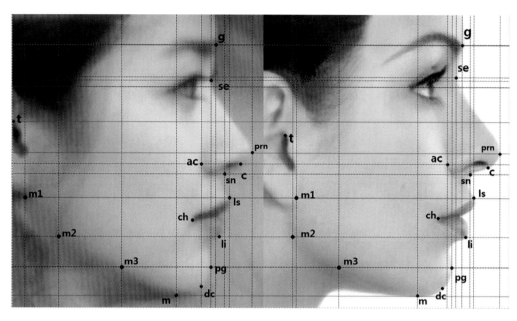

● 그림 2-3. **측면 얼굴 랜드마크(landmark)** 임의적인 지점 m1, m2, m3과 dc가 서양인과 아시안의 측면 얼굴에서 차이점을 이해하는데 도움이 된다. Tragion (t): the most anterior portion of the supratragal notch, glabella (g): the most prominent or anterior point of the forehead between the eyebrows, sellion (se): the most concave point in the tissue overlying the area of the frontonasal suture, pronasale (prn): the most prominent or anterior projection point of the nose, columella breakpoint (c): the highest point of the columella or breakpoint of Daniel, subnasale (sn): the junctional point of the columella and the upper cutaneous lip, alar curvature point or alar crest point (ac): the most lateral point in the curved base line of each ala, indicating the facial insertion of the nasal wing base, labiale superius (ls): the mucocutaneous junction and vermilion border of the upper lip, labiale inferius (li): the mucocutaneous junction and vermilion border of the lower lip, pogonion (pg): the most anterior point of the soft- tissue chin, distant chin (dc): the farthest point from the fiducial t, menton (m): the most inferior portion of the anterior chin, m1: the point where the mandibular contour line meets the horizontal line that extends from the fiducial ls, m2: the intersecting line of the mandibular contour with the horizontally extended line from the fiducial li, m3: the intersecting line of the mandibular contour with the horizontally extended line from the fiducial from the fiducial pg.
출처(S. C. Rhee: Differences between Caucasian and Asian attractive faces, Skin Res Technol 24:73-79, 2018)

매력적인 얼굴의 길이와 폭의 비율은 서양인 얼굴에서는 74.4%이고 동양인 얼굴에서는 72.0%이다. 정면 얼굴에서 이마: 코: 아래 얼굴 비율이 정확하게 3등분이 된다는 것으로 알려져 있지만 매력적인 서양인의 얼굴에서는 1:1.1:1 매력적인 동양인 얼굴에서는 1:1.2:1로 중안면부가 이마나 아래 얼굴보다 조금 길었다. 매력적인 서양인 코는 좁고 길고(leptorrhine) 동양인 코는 중간정도 넓이(mesorrhine)였다. 매력적인 얼굴에서 눈의 폭은 서양인과 동양인 사이에 차이는 없었다. 동양인과 서양인의 매력적인 얼굴에서 옆얼굴의 볼록한 정도(facial convexity angle)는 거의 유사하였다. 매력적인 동양인의 코입술각이 서양인보다 좀 더 예각을 이루고 윗입술이 조금 돌출되어 있다. 서양인의 경우 이마와 비교해 윗입술 돌출이

동양인보다 컸다. 이마와 상악에 대한 아름다운 턱끝의 상관관계는 인종과 관계없이 유사하였지만 매력적인 서양인에게서 아래턱이 더 각이 졌다.

3. 개개인에 대한 양악수술의 미용적 목표

두개방사선계측분석은 얼굴의 "미"를 분석하는 과학적인 방법이다. 하지만 기준으로 사용되는 이상적인 측정값이 일반적인 사람들의 오래된 평균값으로 매력적인 얼굴의 형태나 당대의 "미"에 대한 개념을 나타내기에는 부족하다. 또한 두개방사선계측분석은 골격의 평균값만을 이용하므로 사람 얼굴의 매력적인 연부조직의 특징을 제대로 나타내지 못하고 획일적인 측정법으로 개개인의 얼굴 특징이나 선호하는 "미"에 대한 것은 포함하지 않는다. 미용성형수술자의 궁극적인 목표는 결국 얼굴의 연부조직의 "미"를 추구하는 것이지만 너무 얼굴뼈 구조에만 관심이 집중되어 있다. 얼굴의 연부조직 형태에 대한 연구의 중요성이 오랫동안 간과되어왔고 이제는 미용성형수술의 "미"란 무엇인지 근본적인 궁금증을 돌아보아야 한다.

BAPA(balanced angular profile analysis) 분석법은 미용 턱뼈수술을 계획할 때 필수적인 연부조직을 분석하는 과정의 하나로서, 평균값이 아니라 매력의 정도에 기초한 인종별, 민족별, 시대별, 그리고 나라별로 선호하는 윤곽밸런스의 차이를 고려한 수술 목표값을 적용할 수 있다. 서양에서 살고 있는 아시안인들도 민족적 독자성을 잃으면서까지 그들의 모습을 서양인으로 바뀌는 것을 원하지는 않고 예쁜 아시안으로 보이기를 원한다.

외모를 매력적으로 바꾸고 싶어하는 개개인의 환자를 대할 때 다음 4가지 원칙을 고려하는 것이 필요하다. (1) 전통적인 정의에 따른 대칭, 비율, 젊음 등의 "미" (2) 어색하지 않고 자연스러움의 "미" (3)최근 문화적 트랜드에 맞는 "미" (4) 그리고 개인적으로 선호하는 바람을 고려한 "미"등 4가지 원칙이 모두 조화롭게 고려되어야 각각의 환자의 목표에 맞는 이상적인 얼굴의 형태를 위한 수술계획을 세울 수 있다.

또한 얼굴에서 "미" 라는 개념은 고정되어 있지 않고 시간이 지남에 따라 지속적으로 변하므로 미용성형 수술자도 미용적으로 대중들이 좋아하는 얼굴이 어떻게 변하고 있는지에 대한 경향을 파악하는 것이 필요하다.

📋 참고문헌

1. Heung Sik Park, M.D., Ph.D., Seung Chul Rhee, M.D., So Ra Kang, M.D., Ph.D., and Ji Hyuck Lee, M.D: Harmonized Profiloplasty Using Balanced Angular Profile Analysis, Aesth. Plast. Surg. 28:89 - 97, 2004

2. Holland E: Limitations of traditional morphometrics in research on the attractiveness of faces. Pshchon Bull Rev 16:613 - 15, 2009

3. Hope Bueller, MD: Ideal Facial Relationships and Goals, Facial Plast Surg. 34:458 - 65, 2018

4. Jefferson Y: Facial beauty: Establishing a universal standard, Int J Orthond Milwaukee 15:9-22, 2004

5. Michiels G, Sather AH: Determinants of facial attractiveness in a sample of white women. Int J Adult Orthognath Surg 9:95−103, 1994

6. Perrett DI, May KA, Yoshikawa S (1994) Facial shape and judgments of female attractiveness, Nature 368:239−42

7. Romm S: The changing face of beauty. Aesth Plast Surg 13:91-8, 1989

8. Seung Chul Rhee・Soo Hyang Lee: Attractive Composite Faces of Different Races, Aesth Plast Surg 34:800−1, 2010

9. S. C. Rhee: Differences between Caucasian and Asian attractive faces, Skin Res Technol 24:73−9, 2018

10. Seung Chul Rhee, M.D., So Ra Kang, M.D., Ph.D., and Heung Sik Park, M.D., Ph.D.: Balanced Angular Profile Analysis, Plast. Reconstr. Surg. 114: 535-44, 2004.

CHAPTER

미용양악수술을 위한 진단 및 분석법

Diagnosis and Analysis for Aesthetic Two-Jaw Surgery

| 변성수, 석윤 |

선천적 혹은 후천적 악안면 기형(dentofacial deformity)과 이와 연관된 부정교합을 치료하는데 있어 가장 중요한 첫 단계는 정확한 진단과 이를 바탕으로 하는 치료계획 수립이다. 정확한 진단은 두개악안면 구조의 성장과 발육 및 각 구조물 간의 기능적 연관성과 조화에 대한 깊은 관찰과 이해를 필요로 한다.

이러한 진단은 크게 임상 검사, 방사선사진 분석, 모형 분석 등으로 구분되는데, 각 검사 방법의 특성에 따라 획득한 자료의 목적과 가치 비중이 달라질 수 있다. 또한 다양한 형식의 자료로부터 같은 내용의 결과에 도달할 수도 있지만 때때로 그 방향이 어지럽게 얽히는 경우도 있다. 이때 단편화된 내용을 종합적으로 분석하고 평가할 수 있는 의료진의 개인 능력과 임상 경험이 향후 치료 결과를 좌우하게 된다.

따라서 이 장에서는 악안면기형 및 골격성 부정교합 문제를 개선하기 위한 기본 진단 개념과 방법적 특성 그리고 임상 사례에서의 적용을 함께 알아보고자 한다.

1. 임상 검사

임상 검사는 환자와 대면하거나 임상 사진 분석을 통해 현재 안모의 정면과 측면을 평가하는 것이다. 다른 검사법에 비해 보다 직관적 관찰을 필요로 하므로, 의료진의 절제된 검사와 분석이 요구된다. 안모 검사와 더불어 부정교합과 턱관절장애 여부, 치아와 주변 구조물 등의 기능적, 형태적 특성도 검토한다.

1) 안모 분석 계측점

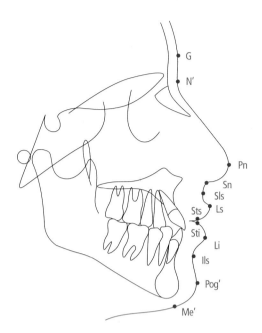

● 그림 3-1. 측모두부방사선사진의 주요 연조직 계측점.

G (glabella) : 정중시상면 상의 전두부 최전방점

N' (soft tissue nasion) : 이마에서 코로 연결되는 선상에서 최심점

Pn (pronasale) : 코끝의 최전방점

Sn (subnasale) : 정중시상면 상의 비주(columella)에서 상순으로 연결되는 점

Sls (superior labial sulcus) : Sn과 Ls로 연결되는 선상에서 최심점

Ls (labrale superius) : 상순의 mucocutaneous border 최전방점

Sts (stomion superius) : 상순의 vermilion의 최하방점

Sti (stomion inferius) : 하순의 vermilion의 최상방점

Li (labrale inferius) : 하순의 mucocutaneous border 최전방점

Ils (inferior labial sulcus) : 하순의 Li와 Pog'로 연결되는 선상에서 최심점

Pog' (soft tissue pogonion) : 정중시상면 상의 이부(chin) 최전방점

Me' (soft tissue menton) : 하악 이부 최하방점으로 skeletal menton을 경유하는 수평면에 대한 수직선과 이부와의 교착점

2) 정안모 분석법

얼굴 정면을 일정하게 수평, 수직 구간으로 나누고 구간별 비율을 계산하여 위치적 조화, 좌우대칭성, 형태이상 등을 살펴본다. 후술하게 될 정면두부방사선 사진과의 정확한 비교를 위해 얼굴중심선과 상하

악 중절치 중심선 그리고 턱끝 중심선 등을 함께 분석하는 것이 중요하다.

정안모의 임상적 수평비율 평가는 일반적으로 Rule of Fifth를 이용하게 된다. Rule of Fifth는 정면에서 눈의 내외측 안각 간의 폭경을 기준으로 해서 5등분 한다. 양쪽 눈의 내외측 안각 사이를 medial 1/5이라고 하며, 이를 기준으로 양쪽 눈의 내측 안각 사이를 middle 1/5, 양쪽 눈의 외측 안각에서부터 귀의 바깥 경계부까지의 거리는 outer 1/5 이다. 또한 코 기저부 너비는 내측 안각 거리 middle 1/5과 비슷하거나 약간 넓은 것을 이상적으로 보고, 입술 좌우 구각부 너비는 동공간 거리와 비슷한 것이 균형적이다.

정안모의 임상적 수직비율 평가는 얼굴을 임의적으로 3등분하여 시행한다. 보통 이마 상단의 머리선에서부터 눈썹(eyebrow)까지의 수직 거리를 상안모, 눈썹에서 코 기저부 비하점(subnasale)까지의 거리를 중안모, 비하점에서 아래턱끝(menton) 까지의 거리를 하안모라고 정의한다. 상안모, 중안모, 하안모의 비율이 1:1:1에 근접했을 때 가장 이상적인 얼굴 수직비율로 간주한다. 수직비율 평가에서 추가적으로 반드시 검사할 항목이 있다. 비하점에서 stomion까지의 수직거리와 stomion에서 아래턱끝점까지의 수직거리가 약 1:2 비율에 근접하는지 여부, 하악안정위 상태에서 상악전치부 절단연이 약 2-3 mm 정도 내에서 노출되는지 여부, 자연스럽게 활짝 웃었을 때 상악 전치부 치은이 약 2-3 mm 이내에서 관찰되는지 여부 등이다. 이러한 계측은 대부분 동적인 자세에서 이루어지므로 환자의 협조도, 의료진의 경험과 관찰력 등에 의해 영향을 받게 되므로 주의해야 한다.

정안모의 임상적 대칭 평가는 양 동공간선에 대하여 수직 이등분선을 얼굴중심선(facial midline)으로 설정하여 좌우를 비교한다. 이때 환자의 양측 동공간선은 바닥에 대하여 평행하게끔 머리를 위치하여 측정하는데, 때때로 환자의 머리 위치가 일상적인 자세와 달라서 매우 불편하게 받아들일 수 있으므로 이를

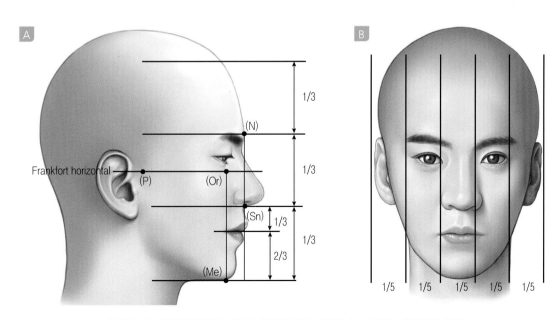

• 그림 3-2. **안모비율 분석. (A)** 수직비율 분석. **(B)** Rule of Fifth 수평비율 분석.

유심히 관찰할 필요가 있다. 얼굴중심선을 기준으로 양측 내안각 사이의 거리차이, 비첨부와의 관계, 비하점과의 관계, 인중 방향성과의 관계, 입술의 수평 기울기와의 관계, 아래턱끝 계측점과의 관계, 양측 우각부까지의 거리차이 등을 평가한다. 더불어 상하악 중절치의 중심선과 교합수평면 기울기와의 관계도 함께 살펴보는 것이 중요하다. 활짝 웃었을 때 교합수평면 기울기를 분석하면서 동시에 상하악 전치부 치축 기울기, 상순의 하연에 대한 상악 치아와 잇몸의 좌우 노출면의 차이 등을 관찰한다. 이러한 검사는 비대칭을 개선하기 위한 악교정수술의 계획과 목표를 설정하는데 있어 결정적 요소가 된다.

3) 측안모 분석법

측안모 분석은 정안모의 수직비율 평가 방식과 동일하며, 악골의 전후방 관계, 입술의 돌출도 등을 중점적으로 평가하게 된다. 단, 측안모 임상 검사에서 악골과 입술의 전후관계는 정량적 계측보다는 경향을 관찰하는 것에 가깝다고 할 수 있다. 따라서 측두부방사선사진 분석에서 관찰 결과를 뒷받침할만한 객관적 지표를 분석하는 것이 중요하다.

측안모에서 악골의 임상적 전후방 위치관계는 두 직선 G-Sn과 Sn-Pog' 이 이루는 각에서 찾아볼 수 있다. 이 두 직선이 이루는 각의 정상 범위는 약 10-14도이며(12도), 각도가 작을수록 concave profile로 평가하고, 각도가 클수록 convex profile로 이해하게 된다. 그러나 convex와 concave profile이 반드시 절대적 심미성으로 귀결되는 것은 아니며, 악골의 관계 또한 상대적 측면에서 바라보는 것이 바람직하다.

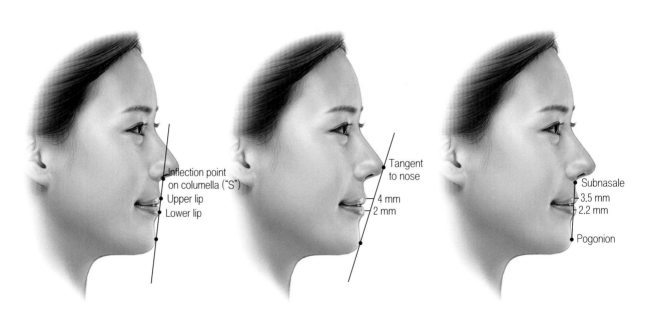

● 그림 3-3. **(A)** Steiner line(S-line). **(B)** Ricketts line(E-line). **(C)** Burstone line(B-line).

측안모의 임상적 입술 돌출도를 평가하는 방법은 매우 다양하다. 1950년대 modern cephalometric analysis를 고안한 Cecil C. Steiner는 columella의 midpoint에서 Pog'(soft tissue pogonion)까지의 연결선을 기준으로 상하순의 접점 관계에 따라 입술의 돌출도를 평가하였다. 흔히 심미선(Esthetic line)이라고 하는 분석법은 Robert M. Ricketts가 제안한 것으로, Pn(pronasale) 점에서 Pog'까지 이은 선을 기준으로 한다. 서양인 성인에서는 하순이 기준선에 대하여 약 3-4 mm 후방에 있고, 상순은 하순보다 약간 더 후방에 위치하는 것으로 본다. 이밖에 J. Burstone은 Sn(subnasale)에서 Pog' 까지 이은 선에 대하여 상순은 약 3.5 mm, 하순은 약 2.5 mm 이내 전방 위치에 따라 돌출도를 평가하기도 한다. 또한 Cm(Columella point)-Sn(subnasale)-Ls(labrale superius) 간의 각도를 측정하는데, 이를 비순각이라고 하며 서양인의 경우 약 102도 내외를 정상으로 간주한다. 다만, 비순각은 코와 입술 사이의 조화를 계량화 하기 위한 척도에 가깝기 때문에 단독으로 입술 돌출 여부를 평가하지는 않는다. 더불어 입술의 돌출도는 입술 자체의 형태적 특징과 함께 악골의 전후방적 관계, 악궁의 형태와 치아의 위치관계 등에 의해서도 많은 영향을 받기 때문에 각각의 요소들을 종합적으로 판단해야 하는 어려움이 있다.

2. 두부규격방사선사진 분석

악교정수술에서 두부규격방사선사진은 두개악안면 구조물의 성장 및 형태 등의 특징을 연구하고 문제점을 파악하여 치료계획을 수립하는데 있어 가장 중요하면서도 기본적인 진단 자료이다. 측모두부규격방사선사진 그리고 정모두부규격방사선사진을 주로 이용하며, 경조직과 연조직 계측점 및 연결선 간의 거리, 각도를 이용한 여러 분석법이 제시되었다.

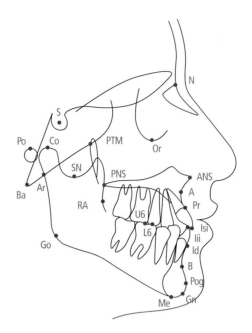

• 그림 3-4. **측모두부방사선사진의 주요 경조직 계측점.**

1) 측모두부방사선사진 계측점

N (nasion) : 정중시상면 상의 전두비골봉합(frontonasal suture)의 최상방점

ANS (anterior nasal spine) : 비강저 경계부와 맞닿는 상악의 골격성 최전방점

PNS (posterior nasal spine) : 경구개부 최후방점

A point (subspinale) : ANS와 Pr로 연결되는 선상에서 최심점

Pr (prosthion) : 정중시상면상의 상악 전치부 치조골과 중절치 사이 교착점

Id (infradentale) : 정중시상면상의 하악 전치부 치조골과 중절치 사이 교착점

B point (supramentale) : Infradentale와 pogonion으로 연결되는 선상에서 최심점

Pog (pogonion) : 정중시상면에서 하악 이부의 최전방점

Gn (gnathion) : 하악 이부 Me과 Pog 사이의 최전하방점

Me (menton) : 하악 이부 최하방점

Go (gonion) : 하악지 후연과 하악 하연의 평면상 교착점으로 하악각의 최후하방점

Ar (articulare) : 하악과두 경부 후연과 두개저 하방연과의 교착점

Co (condylion) : 하악과두 최상방점

SN (sigmoid notch) : 하악지 하악과두에서 근돌기로 연결되는 선상에서 최하방점

RA (anterior ramus) : 하악지 전연에서 근돌기로 연결되는 선상에서 최심점

Or (orbitale) : 안와 하연의 최하방점

PTM (pterygomaxillary fissure) : 눈물방울 모양(tear-drop shaped)의 방사선 투과상의 익돌상악열구 후상방점

Po (porion) : 외이도의 최상방점

Ba (basion) : 후두공(foramen magnum) 전연의 최후하방점

S (sella) : 뇌하수체와(hypophyseal fossa)의 중심점으로 정중시상면 상의 조형점

Isi (incisor superius incisalis) : 상악 절치의 절단연

U6 (maxillary 1st molar mesiobuccal cusp) : 상악 제1대구치 근심협측교두 첨단

Iii (incisor inferius incisalis) : 하악 절치의 절단연

L6 (mandibular 1st molar mesiobuccal cusp) : 하악 제1대구치 근심협측교두 첨단

2) 측모두부방사선사진 기준평면

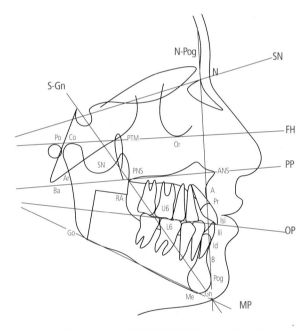

● 그림 3-5. **측모두부방사선사진의 주요 기준평면.**

SN (sella-nasion) : sella에서 nasion까지의 평면

FH (Frankfort horizontal line) : porion 상연에서부터 orbital까지의 평면

PP (palatal plane) : ANS에서 PNS까지의 평면

OP (occlusal plane) : 상하악 절치 overbite 중간에서 대구치의 교합면을 연결한 평면

MP (mandibular plane) : gonion에서 menton까지의 평면

N-Pog (facial plane) : nasion에서 pogonion까지의 평면

EP (aesthetic plane) : pronasale에서 Pog'(soft tissue pogonion)까지의 평면

S-Gn (Y Axis) : sella turcica에서 gnathion까지의 평면

3) 측모두부방사선사진 기준각

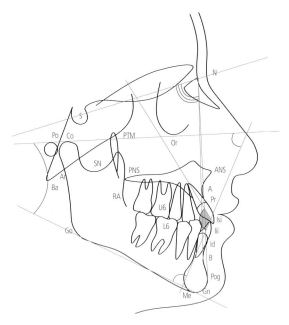

• 그림 3-6. **측모두부방사선사진의 주요 기준각.**

SNA : SN선과 NA선 사이의 각으로 두개저에 대한 상악골의 전후방 관계를 의미

SNB : SN선과 NB선 사이의 각으로 두개저에 대한 하악골의 전후방 관계를 의미

S-N-Pog : facial plane angle이며, 하악골의 전후방 관계를 의미

Interincisal angle : 상하악 중절치 치축 사이의 각으로 denture convexity를 의미

FMA : Tweed triangle, FH와 MP 사이의 각

FMIA : Tweed triangle, FH에 대한 하악 전치 치축 사이의 각으로 하악 전치 procumbency를 의미

IMPA : Tweed triangle, MP에 대한 하악 전치 치축 사이의 각으로 하악 전치 procumbency를 의미

4) 측모두부방사선사진 분석법

(1) Downs Analysis

FH에 대한 상하악골의 전후방적 관계 등을 다양한 선과 평면, 각도 등을 이용하여 안모 profile의 특성 등을 분석하면서 4 types의 얼굴형으로 분류하였다.

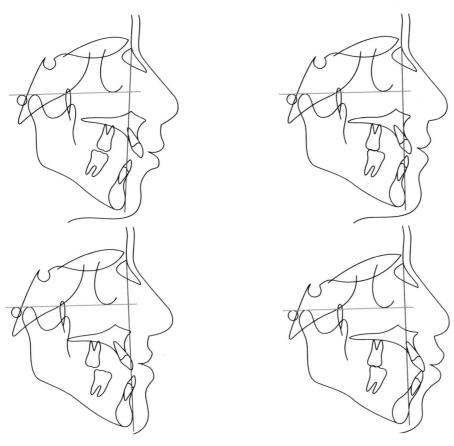

• 그림 3-7. **Downs facial types. (A)** Retrognathic(하악골 후퇴형). **(B)** Orthognathic(이상적 혹은 평균적인 하악골 위치). **(C)** Prognathic(하악골 전진형). **(D)** True Prognathic(하안면 돌출형).

① Downs 계측항목과 정상범주

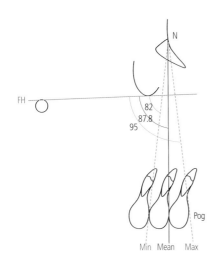

• 그림 3-8. **Downs facial angle.**

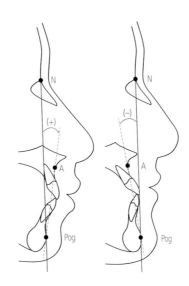

• 그림 3-9. **Downs angle of convexity.**

i) Facial angle

FH와 facial plane(N-pog) 사이의 각으로, 정상범주는 82-95도(87.8도)이다. 두개저에 대한 하악골의 전후방적 관계를 의미한다.

ii) Angle of convexity

facial plane(N-Pog)과 A point to Pog 사이의 각으로, 상악골의 전후방적 관계를 의미한다. 만일 facial line과 A point to Pog 사이의 각이 양수(0-10도)이면 convex profile, 음수(0~-8.5도)이면 concave profile로 평가한다.

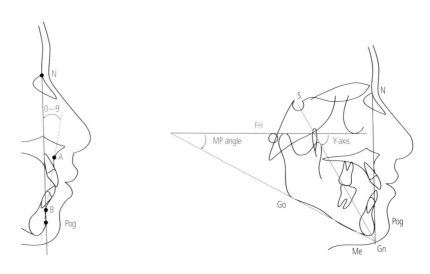

• 그림 3-10. **Downs A-B plane.**   • 그림 3-11. **Downs MP angle.**

iii) A-B plane

facial plane(N-Pog)과 A-B point 연결선 사이의 각으로, 정상범주는 약 0~-9도(-4.8도)이다. Facial plane에 대한 상하악골간 전후방적 관계를 의미하는데, skeletal class III malocclusion의 경우에는 (+)각도, skeletal class II malocclusion의 경우에는 (-)각도 값을 갖는다.

iv) Mandibular plane angle

FH와 MP 사이의 각으로, 정상범주는 17-28도(21.9도)이다. Retrusive 그리고 Protrusive 형태의 안모에서는 높은 mandibular plane angle 값을 갖는다.

v) Y(growth) axis

FH와 S-Gn plane 사이의 각으로, 정상범주는 53-66도(59.4도)이다. 상안면에 대한 하악골의 전방, 후방, 하방의 성장 정도를 의미한다. Long face 혹은 Class II 안모에서는 각도 값이 크다.

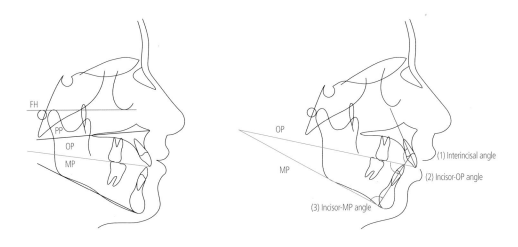

● 그림 3-12. **Downs OP angle.**   ● 그림 3-13. **Downs (1) Interincisal, (2) Incisor-OP, (3) Incisor-MP angle.**

vi) Occlusal plane angle

FH와 OP 사이의 각으로, 정상범주는 1.5-14도(9.3도)이다. Mandibular plane angle과 같이 skeletal class II 안모에서는 각도 값이 크다.

vii) Interincisal angle

상하악 중절치 치축 사이의 각으로, 정상범주는 130-150.5도(135.4도)이다. 상하악 중절치 돌출도를 평가한다.

viii) Incisal-mandibular plane angle

MP에 대한 하악 전치 치축 사이의 각으로, 정상범주는 -8.5~7도(1.4도)이다. 계측된 각도 값에서 90도를 제외한 것이며, Tweed IMPA로는 81.5-97도이다.

ix) Protrusion of maxillary incisors

A point–Pog line으로부터 상악 중절치 절단연까지의 거리로, 정상범주는 -1~5 mm이다. 상악 중절치의 돌출도를 평가한다.

(2) Steiner Analysis

두개골에 대한 denture base의 성장 양상 및 상하악골의 전후방적 관계를 분석하여 교정치료의 방향을 설정하는데 목표가 있다. 주된 기준선은 SN line이다.

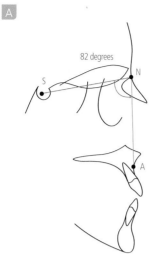

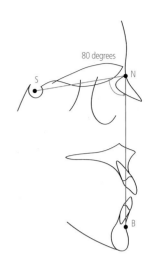

• 그림 3-14. Steiner (A) SNA angle. (B) SNB angle.

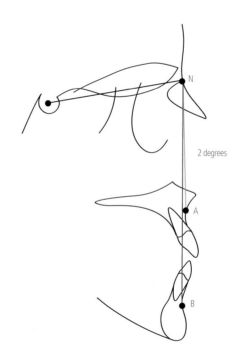

• 그림 3-15. Steiner ANB angle.

i) Maxilla-mandible relationship (두개골과 상하악의 관계)

SNA는 두개골에 대한 상악의 전후방 위치관계를 의미하며 정상범주는 82도 내외이다. SNB는 두개골에 대한 하악의 전후방 위치관계를 의미하며 정상범주는 80도 내외이다. ANB는 상하악골 간의 전후방 위치관계를 의미하며 정상범주는 약 2도 내외이다.

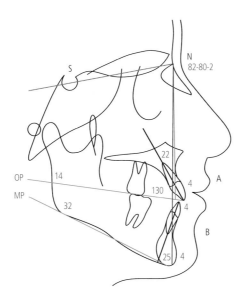

● 그림 3-16. Steiner 다양한 기준평면 중에서 SN plane에 대한 occlusal plane의 정상범주 각은 14도 내외이며, mandibular plane은 약 32도 내외이다.

ii) Occlusal plane(두개골과 교합평면과의 관계)

SN과 OP(1st premolars and 1st molars cusp 연결선) 사이의 각으로, 정상범주는 14도 내외이다.

iii) Mandibular plane(두개골과 하악평면과의 관계)

SN과 MP(gonion and gnathion 연결선) 사이의 각으로, 정상범주는 32도 내외이다.

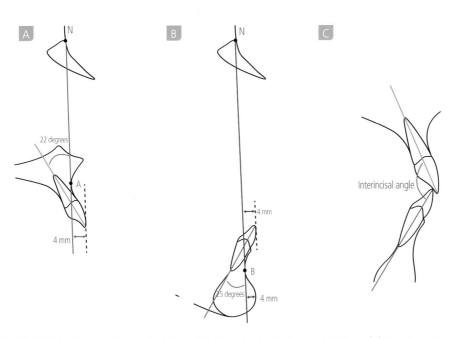

● 그림 3-17. (A) Maxillary incisor to N-A line. (B) Mandibular incisor to N-B line. (C) Interincisal angle.

iv) Maxillary incisor position(상악 전치의 위치관계)

N-A line에 대한 상악 전치의 거리와 각도를 통해 위치관계를 평가하는데, 정상범주는 N-A line으로부터 상악 전치 순면(labial surface) 최전방점까지의 최단거리는 약 4 mm 내외이고, 상악 전치의 치축과 N-A line이 이루는 각도는 약 22도 이다.

v) Mandibular incisor position(하악 전치의 위치관계)

N-B line에 대한 하악 전치의 거리와 각도를 통해 위치관계를 평가하는데, 정상범주는 N-B line으로부터 하악 전치 순면 최전방점까지의 최단거리는 약 4 mm 내외이고, 하악 전치의 치축과 N-B line이 이루는 각도는 약 25 도이다. 관련된 Holdaway ratio에서, Pogonion으로부터 N-B line까지의 최단거리와 하악 전치 순면 최전방점으로부터 N-B line까지의 최단거리의 비율은 약 1 : 1 이며, 적절한 이부의 돌출도와 하악 전치의 치축 각도 등을 평가할 때 이용될 수 있다.

vi) Interincisal angle(절치간 각도 관계)

상하악 중절치 치축 사이의 각으로, 정상 범주는 130도 내외이다.

(3) Ricketts Analysis

환자의 현재 상태와 함께 향후 예상되는 성장과 발육 과정에서의 치료효과 등을 예측하는 것에 목표가 있다. 주된 기준선은 FH line, Ba-N line, Pt-Gn line 등이 있다(Pt: foramen rotundum의 아래쪽 경계와 pterygomaxillary fissure의 후방벽의 교차점).

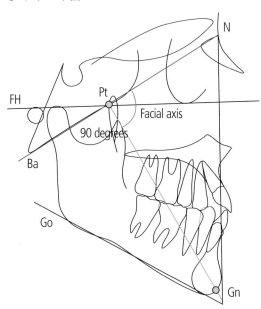

• 그림 3-18. Ricketts facial axis.

i) Facial axis

Ba-N line과 Pt-Gn line 사이의 각으로, 정상범주는 90도(3도)이다. 9세 이후에는 성장에 의한 변화가 없고 chin의 성장 방향을 나타낸다. 예를 들어, 정상보다 큰 각도에서는 전방 성장, 작은 각도에서는 하방 성장을 예상할 수 있다.

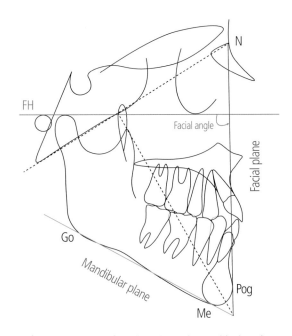

• 그림 3-19. Ricketts facial angle and mandibular plane.

ii) Facial angle

FH와 facial plane(N-Pog) 사이의 각으로, 정상범주는 90도 내외이다. 각도의 크기에 따라 chin의 전후 방 성장을 가늠 지을 수 있는데, 각도가 크면 보통 skeletal class III 경향을 보인다.

iii) Mandibular plane angle

FH와 MP 사이의 각으로, 정상범주는 9세에서 약 26도이다. 성장이 완료될 때까지 약 3년에 1도씩 감소한다. 큰 각도에서는 하악의 골격적 특성에 따라 개방교합 경향을 보인다.

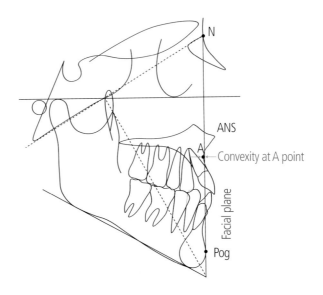

● 그림 3-20. Ricketts convexity at A point.

iv) Convexity at A point

A point으로부터 facial plane(N-Pog)까지의 거리로, 정상범주는 9세에서 약 2 mm 내외이다. 성장이 완료될 때까지 약 5년에 1 mm씩 감소된다.

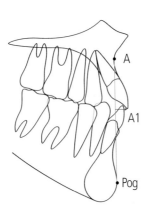

● 그림 3-21. Ricketts Maxillary incisor to A-Pog.

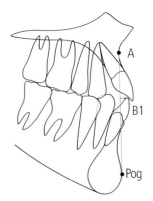

● 그림 3-22. Ricketts Mandibular incisor to A-Pog.

v) Maxillary incisor to A-Pog

A-Pog plane로부터 상악 중절치 절단연까지의 수직거리로, 정상범주는 약 5 mm 내외이다. 상악 절치의 돌출도를 평가하는데 이용된다.

vi) Mandibular incisor to A-Pog

A-Pog plane로부터 하악 중절치 절단연까지의 수직거리로, 정삼범주는 약 1 mm 내외이다. 하악 절치

의 돌출도를 평가하는데 이용된다.

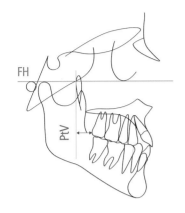

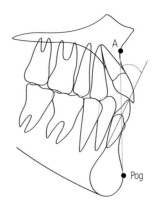

• 그림 3-23. Ricketts Maxillary Molar to PtV.   • 그림 3-24. Ricketts Mandibular incisor inclination.

vii) Maxillary Molar to PtV

PtV(pterygoid vertical line)으로부터 상악 대구치 치관 원심면까지의 거리로, 정상범주는 환자 나이에 3 mm를 더한 값이다. 상악 치열궁의 전후방적 위치에 따라 대구치 맹출에 필요한 공간적 여유 정도가 달라지는데, 이를 통해 부정교합 경향을 확인하는데 이용된다.

viii) Mandibular incisor inclination

A-Pog plane에 대한 하악 중절치 치축 사이의 각으로, 정상범주는 22도(4도) 내외이다. 하악 절치의 돌출도를 평가하는데 이용된다.

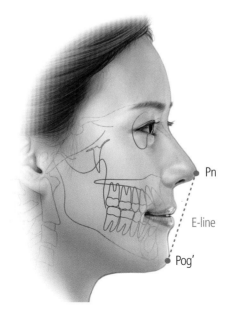

• 그림 3-25. Ricketts lower lip to E-line

ix) Lower lip to E-line

Pn(pronasale)에서 Pog'(soft tissue pogonion)까지 이은 선에 대한 하순까지의 거리로, 9세에서 하순이 기준선에 대하여 약 2 mm 내외로 후방에 위치한다. 성장하면서 돌출 경향이 감소하여 성인에서는 하순이 기중선에 대하여 약 3-4 mm 후방에 위치한다. 일반적으로 상순은 하순보다 약간 더 후방에 위치하는 것으로 본다.

(4) McNamara Analysis

Ricketts 및 Harvold 분석법의 일부 계측항목과 함께 Bolton standards, Burlington orthodontic research center, Ann Arbor sample 등에서의 cephalometric sample을 기초하여 발표되었다. 주로 FH-line, Ba-N line, Nasion perpendicular line과 A point 등을 통해 두개골과 상하악골의 관계, 상하악골간의 관계, 악골과 치아의 관계를 중심으로 분석하였다.

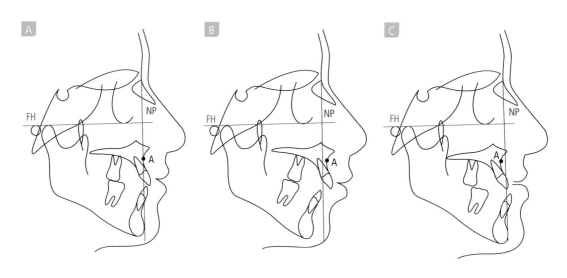

• 그림 3-26. McNamara **(A)** 정상 상악 위치의 안모. **(B)** 상악 돌출의 안모. **(C)** 상악 후퇴의 안모.

i) Maxilla to Cranial Base

FH에 대하여 N(Nasion)을 경유하는 수직선을 nasion perpendicular line이라고 하며, 기준선이다. 이 선으로부터 A point 까지의 거리를 측정하고 정상범주는 0 mm 이며, 두개저에 대한 상악의 전후방 위치 관계를 평가한다. 예를 들어 기준선으로부터 A point가 전방에 위치하고 있다면, 상악돌출로 진단할 수 있다.

ii) Maxilla to Mandible relationship

표 3-1. Normative standards in McNamara analysis

Midfacial Length (mm) (Co-A)	Mandibular length (mm) (Co-Gn)	Lower anterior facial height (mm) (ANS-Me)
80	97–100	57–58
81	99–102	57–58
82	101–104	58–59
83	103–106	58–59
84	104–107	59–60
85	105–108	60–62
86	107–110	60–62
87	109–112	61–63
88	111–114	61–63
89	112–115	62–64
90	113–116	63–64
91	115–118	63–64
92	117–120	64–65
93	119–122	65–66
94	121–124	66–67
95	122–125	67–69
96	124–127	67–69
97	126–129	68–70
98	128–131	68–70
99	129–132	69–71
100	130–133	70–74
101	132–135	71–75
102	134–139	72–76
103	136–139	73–77
104	137–140	74–78
105	138–141	75–79

상하악의 수평적(anteroposterior relationship), 수직적(vertical relationship) 관계를 말하며, 매우 깊은 상관성을 가지고 있다. Effective midface length(Co-A point)와 effective mandibular length(Co-Gn), lower anterior facial height(ANS-Me)의 일정한 계측값을 이용한다.

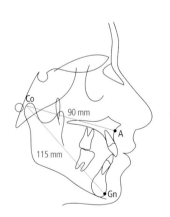

• 그림 3-27. McNamara Effective mandibular length(Co-A)와 effective midface length(Co-Gn) 값이 매우 조화를 이룬 안모.

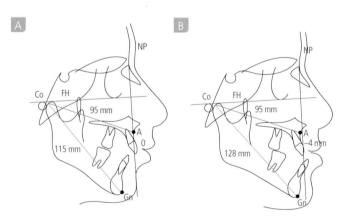

• 그림 3-28. McNamara 중간 얼굴크기의 개인 사례. (A) 두개골에 대해 상악은 정상위이나 하악은 표 3-1을 기준으로 약 9 mm 내외 후퇴되어 있는 안모. (B) 두개골에 대해 상악 위치는 약 4 mm 후퇴되어 있고, 하악은 약 4 - 5 mm 돌출되어 있는 안모.

수평적 관계는 maxillomandibular differential 값을 산출하여 분석한다. Effective mandibular length에서 effective midface length 값을 뺀 값인데, 성별이나 나이 보다는 계측 항목의 크기에 일정한 비례관계를 갖

는다(예를 들어 혼합치열기의 small size 환자는 20 - 24 mm, large size 환자는 29 - 33 mm).

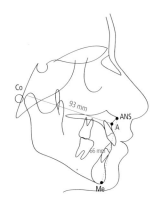 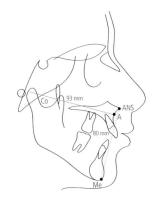 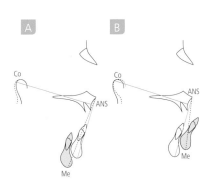

● 그림 3-29. McNamara Effective midfacial length(Co-A)와 LAFH (ANS-Me)와의 연관성을 표 3-1을 기준으로 보았을 때 정상적인 안모.

● 그림 3-30. McNamara Effective mandibular length(Co-A) 93 mm 에 대하여 정상(66 mm 내외)보다 긴 LAFH(ANS-Me)를 갖는 안모.

● 그림 3-31. McNamara **(A)** 턱끝의 후하방 이동에 따른 LAFH의 증가 **(B)** 턱끝의 전상방 이동에 따른 LAFH의 감소.

수직적 관계는 lower anterior facial height(LAFH) 값을 측정하여 분석한다. 상악 수직고경이 증가할 수록 하악은 후하방으로 회전하여 LAFH가 증가하고, 반대의 경우엔 감소한다. 이때 하악의 후하방 회전으로 인해 retrognathic mandible을 초래하게 된다.

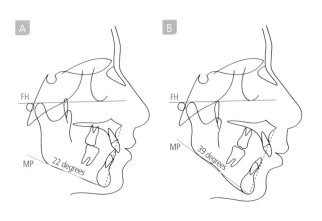 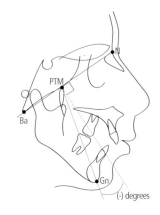

● 그림 3-32. **McNamara (A)** 정상 얼굴크기에서 FH에 대한 mandibular plane angle(Go-Me to FH)의 정상 각도는 약 22도 내외 **(B)** Mandibular plane angle이 클 경우엔 LAFH의 값도 증가함을 알 수 있다.

● 그림 3-33. McNamara facial axis angle 정상 범주는 0도이며, 음수 값일 경우 하악의 과도한 수직성장을 의미한다.

Mandibular plane angle은 FH와 MP 사이의 각으로, 성인에서의 정상범주는 약 22도(4도)이다.

Facial axis angle은 Ba-N line과 facial axis(PTM-Gn) 사이의 각으로, Ba-N line에 대한 수직각과의 차이

를 측정하며, 정상범주는 완전 0도이다. 성장기 환자의 경우, 이 각도가 0도보다 작을 경우 안모의 수직성
장을 예상할 수 있으며, 0도보다 클 경우 수평성장을 예상하게 된다.

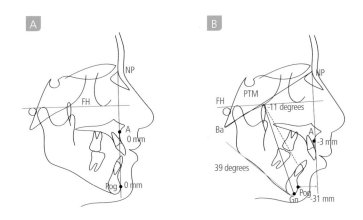

● 그림 3-34. **McNamara mandible to cranial base 관계. (A)** N-perpendicular line으로부터 Pog까지의 거리가 0으로
정상 안모. **(B)** 정상보다 큰 하악각(39도)와 N-perpendicular line으로부터 31 mm 정도 후퇴된 심한 하악 후퇴증의 안모.

iii) Mandible to Cranial Base

Nasion perpendicular line으로부터 Pog까지의 거리로, 정상범주는 0 ~ -4 mm 까지 이다.

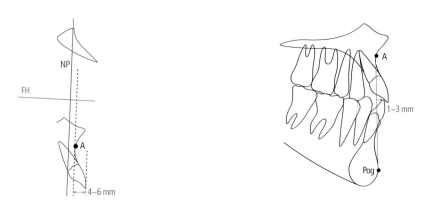

● 그림 3-35. McNamara maxillary incisor position. ● 그림 3-36. McNamara mandibular incisor position.

iv) Maxillary incisor position

상악에 대한 상악 중절치의 수평, 수직관계를 의미한다. 수평관계는 Nasion perpendicular line과 평행
하며, A point와 상악 중절치 최전방 순측면을 지나는 가상선을 긋고, 평행한 가상선상의 A point와 상악
중절치 최전방 순측면 사이의 거리이다. 정상범주는 약 4 - 6 mm 이다. 수직관계는 상순의 하연에 대하여
상악 중절치 절단연 노출길이로 평가하며, 정상범주는 약 2 - 3 mm 이다.

v) Mandibular incisor position

하악에 대한 하악 중절치의 수평, 수직관계를 의미한다. 수평관계는 A point-Pog line으로부터 하악 중절치 절단연까지의 거리이다. 정상범주는 1 - 3 mm 이다. 수직관계는 LAFH(lower anterior facial height)를 기준으로 한다. 예를 들어, curve of spee가 심하면서 LAFH가 과도한 상태라면 교정치료시 하악전치를 압하시키고, LAFH가 정상 이하라면 전치를 정출시킨다.

5) 정모두부방사선사진 계측점

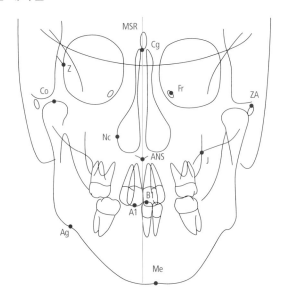

• 그림 3-37. **정모두부방사선사진의 주요 경조직 계측점.**

　　　Ag (antegonial notch)

　　　ANS (anterior nasal spine)

　　　Cg (crista galli)

　　　Co (condylion, most superior aspect)

　　　Fr (foramen rotundum)

　　　J (jugal process)

　　　Me (menton)

　　　NC (nasal cavity at widest point)

　　　Z (zygomatico frontal suture, medial aspect)

　　　ZA (zygomatic arch)

　　　A1 (upper central incisor edge)

　　　B1 (lower central incisor edge)

6) 정모두부방사선사진 기준선

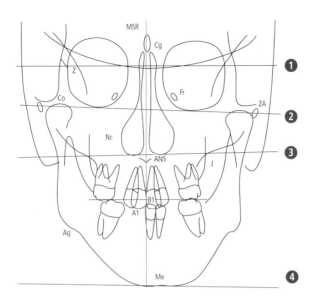

● 그림 3-38. **정모두부방사선사진의 주요 기준평면.**

(1) Horizontal reference line

안면 구조물의 대칭성과 평행성을 확인하는데 이용된다. 재현가능한 수평기준선은 크게 4종류이며 ① Z plane(Z-Z), ② ZA plane(ZA-ZA), ③ J plane(J-J), ④ menton을 경유하며 Z plane에 평행한 기준면이다.

(2) Vertical reference plane

안면 구조물의 대칭성 여부를 결정하는 가장 기본적인 설정면이다. 수직기준선인 정중시상면(MSR, mid-sagittal reference plane)은 일반적으로 Cg에서부터 ANS를 경유하여 Me으로 이어지며, Z plane에 거의 수선이다. 만일 상, 중안면 구조물의 해부학적 변위가 의심된다면 MSR을 일부 수정할 필요가 있다. 예를 들어 Cg의 위치를 확신하기 어려운 경우에는 Z plane의 중점에서 ANS를 경유하는 수정선을 작도한다. 상안면부의 비대칭과 변위가 의심되는 경우에는 Z plane의 중점에서 Fr-Fr line의 중점을 지나는 수정선을 작도한다.

7) 정모두부방사선사진 분석법

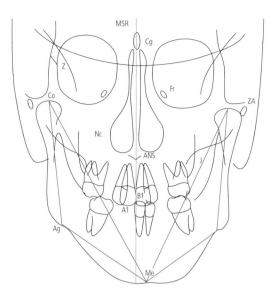

• 그림 3-39. **Mandibular morphology.**

(1) Mandibular morphology

　　Co-Ag-Me을 연결하여 이루어진 삼각형의 형태와 각 변의 길이와 각을 측정하여 비교한다.

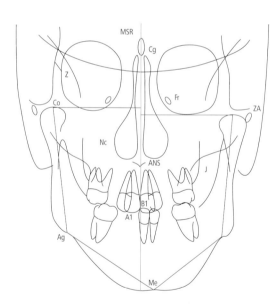

• 그림 3-40. **Volumetric comparison.**

(2) Volumetric comparison

　　양측 Co에서 MSR에 그은 수선과 Co-Ag-Me 연결선을 이으면 양측에 각각 polygon volumes이 형성되며, 두개의 polygon volumes을 중첩하여 면적과 대칭성 등을 비교한다.

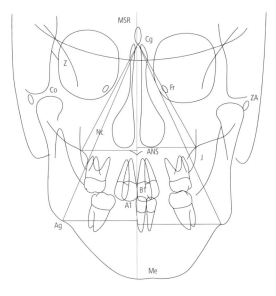

● 그림 3-41. Maxillomandibular comparison of asymmetry.

(3) Maxillomandibular comparison of asymmetry

상하악의 대칭성은 양측 삼각형의 형태와 각 변의 길이, 각, 면적 등으로 비교한다. 상악의 경우, Cg에서 J까지 연결하고 J에서 MSR에 수선을 긋는다. 하악의 경우, Cg에서 Ag까지 연결하고 Ag에서 MSR에 수선을 그어 4개의 삼각형을 완성한다. 만일 완전한 대칭형의 안모골격이라면 J-Cg-J, Ag-Cg-Ag로 이어지는 2개의 삼각형이 된다.

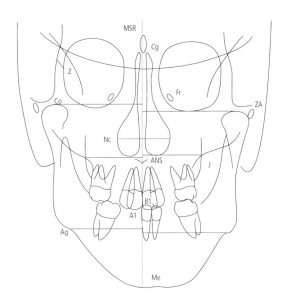

● 그림 3-42. Linear asymmetry.

(4) Linear asymmetry

Co, NC, J, Ag, Me으로부터 MSR에 수선을 작도하여 각각의 수평거리를 비교할 수 있을 뿐만 아니라 수직고경 차이 여부도 확인 가능하다.

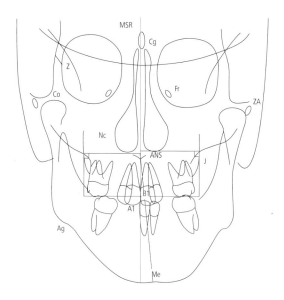

● 그림 3-43. **Maxillo-mandibular relation.**

(5) Maxillo-mandibular relation

MSR에 평행하면서 양측 상악 제1대구치 협측 교두로부터 J까지 이르는 선상의 거리를 측정한다. 이 밖에 ANS-Me plane을 작도하여 상하악 전치부의 편향 및 이부 변위 등을 확인할 수 있다.

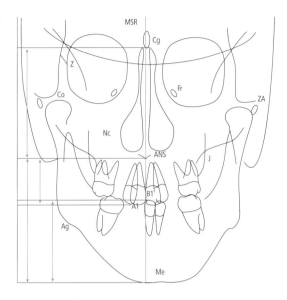

● 그림 3-44. **Frontal vertical proportions.**

(6) Frontal vertical proportions

Cg-Me line 선상에서 ANS, A1, B1에 의해 나누어지는 분할면을 측정하여 비율을 확인한다. 각 비율 항목은 다음과 같다.

Upper facial ratio (Cg-ANS / Cg-Me)

Lower facial ratio (ANS-Me / Cg-Me)

Maxillary ratio (ANS-A1 / ANS-Me)

Total maxillary ratio (ANS-A1 / Cg-Me)

Mandibular ratio (B1-Me / ANS-Me)

Total mandibular ratio (B1-Me / Cg-Me)

Maxillo-mandibular ratio (ANS-A1 / B1-Me)

3. 미용양악수술을 위한 측모두부방사선사진 분석법

측모두부방사선사진을 분석하는 방법들과 각각의 분석법에서 사용되는 계측항목은 다양하고, 각각의 계측항목의 통계적 평균값과 정상범주는 인종에 따라 차이가 있다. 미용양악수술을 위한 측모두부방사선사진 분석법 역시 수술하는 의사마다 분석방법과 주로 참고하는 계측항목이 다를 수 있는데, 저자가 실제로 임상에서 주로 사용하는 미용양악수술을 위한 계측항목들은 그림 3-45와 같고, 각 항목들의 한국인 여성에서의 정상범위는 표 3-2와 같다. 미용양악수술의 결과는 얼굴 연부조직의 모습으로 나타나기 때문에 실제 임상에서는 술자의 경험에 근거한 미적인 판단이 더 중요한 기준이 되어야 하고 두부방사선사진을 이용한 경조직 분석은 그것을 뒷받침하는 참고자료로 활용하는 것이 바람직하다.

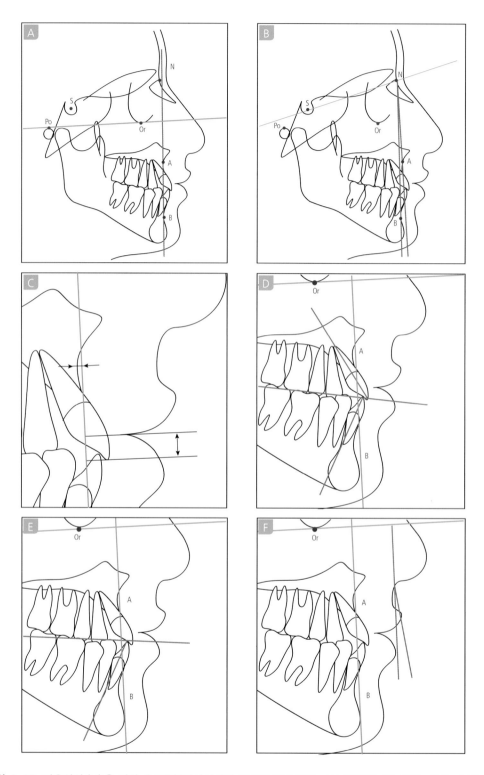

● 그림 3-45. **미용양악수술을 위한 측모두부방사선사진 분석법 계측항목. (A)** FH/AB **(B)** SNA, SNB, ANB **(C)** A to N perpendicular, Upper incisor exposure. **(D)** Upper incisor to maxillary occlusal plane angle, Interincisal angle. **(E)** Lower incisor to mandibular occlusal plane angle. **(F)** TVL(Sn) to upper lip angle.

1) 상악의 전후방적 위치 (A to N perpendicular)

   Nasion에서 FH plane에 대해 수직이 되게 작도한 직선과 A point 사이의 거리 (mm)

2) 상악전치의 노출량 (upper incisor exposure)

   상순의 vermilion의 최하방점(Stomion superius)과 upper incisor tip 사이의 수직 거리

3) 상악과 하악의 전후방적 관계 (SNA, SNB, ANB 또는 FH/AB)

   SNA - Sella, Nasion, A point가 이루는 각도

   SNB - Sella, Nasion, B point가 이루는 각도

   ANB - A point, Nasion, B point가 이루는 각도

   FH/AB - Frankfort horizontal line(Porion과 Orbitale를 잇는 직선)과

   A point와 B point를 잇는 직선이 이루는 각도

4) 상악 전치와 상악교합면 사이의 각도 (upper incisor to maxillary occlusal plane angle)

   상악 전치의 tip과 root를 잇는 직선과 상악교합면이 이루는 각도

5) 하악 전치와 하악교합면 사이의 각도 (lower incisor to mandibular occlusal plane angle)

   하악 전치의 tip과 root를 잇는 직선과 하악교합면이 이루는 각도

6) 상악과 하악 전치 사이의 각도 (interincisal angle)

   상악 전치의 tip과 root를 잇는 직선과

   하악 전치의 tip과 root를 잇는 직선이 이루는 각도

7) 상순의 기울기

   Subnasale에서 FH plane에 대해 수직이 되게 작도한 직선과

   Subnasale와 상순의 mucocutaneous border 최전방점(Labrale superius)을 이은 직선이 이루는 각도

표 3-2.

	Mean	SD	Reference
A to Nperp (mm)	0.8	3	1
Upper incisor exposure (mm)	2.73	1.17	2
SNA (°)	81.80	2.37	3
SNB (°)	79.28	2.89	3
ANB (°)	2.46	1.30	3
U1 to Mx OP (°)	55.16	3.48	2
L1 to Mn OP (°)	65.91	3.80	2
Interincisal angle (°)	124.88	5.94	2
TVL(Sn) to upper lip angle (°)	16.34	4.87	2

1. 대한치과교정학회. 한국성인 정상교합자의 측모 두부규격방사선사진 계측연구 결과보고서. 1997:10-16
2. Choi BT, Baek SH, Yang YS, Kim SH: Assessment of the relationship among posture, maxillomandibular denture complex, and soft-tissue profile of aesthetic adult Korean women. J Craniofac Surg 11: 586-594, 2000
3. Bayome M, Park JH, Kook YA: New Three-Dimensional Cephalometric Analyses Among Adults With a Skeletal Class I Pattern and Normal Occlusion. Korean J Orthod 43(2): 62-73, 2013

📑 참고문헌

1. 대한악안면성형재건외과학회. 악안면성형재건외과학. 의치학사. 2003.
2. 대한구강악안면외과학회. 구강악안면외과학교과서 2nd ed. 의치학사. 2005.
3. 박재억. 악교정수술학. 군자출판사. 2003.
4. 양원식, 김태우. 치과교정진단 및 응용. 지성출판사. 2001.
5. 백형선, 박영철, 손병화, 유영규. 최신두부방사선계측분석학. 지성출판사. 1999.
6. Jacobson, A., Jacobson, R. L. Radiographic cephalometry 2nd ed. Quintessence Publishing Co, Inc. 2003.
7. 대한치과교정학회. 한국성인 정상교합자의 측모 두부규격방사선사진 계측연구 결과보고서. 1997:10-6
8. Choi BT, Baek SH, Yang YS, Kim SH: Assessment of the relationship among posture, maxillomandibular denture complex, and soft-tissue profile of aesthetic adult Korean women. J Craniofac Surg 11: 586-94, 2000.
9. Bayome M, Park JH, Kook YA: New Three-Dimensional Cephalometric Analyses Among Adults With a Skeletal Class I Pattern and Normal Occlusion. Korean J Orthod 43(2): 62-73, 2013.
10. McNamara JA Jr.: A method of cephalometric evaluation. Am J Orthod 86(6):449-69, 1984.

CHAPTER

미용양악수술을 위한 수술계획 및 준비

Presurgical Planning for Aesthetic Two-Jaw Surgery

| 석윤, 변성수 |

1. Surgical Treatment Objectives (S.T.O.)

외과적 치료 목표(S.T.O. 또는 surgical prediction tracing, paper surgery)란, 부정교합이 동반된 악안면 기형(dentofacial deformity)의 외과적, 교정적 치료 계획과 목표를 설계하는 과정이다. S.T.O.의 목적은 골격의 기능적 문제점, 안모의 심미적 불균형을 개선하는 것과 동시에 교합관계를 정상으로 회복하면서 그 결과를 안정적으로 유지하는데 있다. 또한 S.T.O.의 대상은 성장이 완료된 환자에만 국한된 것이 아니라, 바람직하지 않은 성장 과정의 환자도 고려되어야 한다.

1) Initial S.T.O.

최초 S.T.O.는 현재 관찰되는 또는 향후 성장이 완료되는 시점의 골격적, 기능적 문제점 등을 포괄적으로 분석하여 현실적인 치료목표와 요구되는 방법적 특성을 구상하는 것이다. 성장 과정 환자의 경우, 골격적 문제의 비가역적 진행성 여부와 수술적 방법의 가능성 등을 환자, 치아교정 전문의와 함께 폭넓게 논의할 필요가 있다.

2) Pre-Surgical S.T.O.

술전(pre-surgical) S.T.O.는 수술이 결정된 환자의 술전 교정 상태를 처음 계획과 비교하여 치료 목표를 재정립 하거나 수정하는 것이다. 술전 교정이 완료된 상태는 환자의 성장 양상, 치아 교정 과정의 기술적 한계 등으로 최초 S.T.O.에서 예상하지 못한 차이가 발견될 수 있다. 또한 환자의 치료 목표나 관심사가 변경되기도 한다. 따라서 의료진은 환자와의 충분한 대화를 통해 현실적인 치료 목표 등을 정확하게 설명하고 동의를 얻어 술전 S.T.O.에 반영할 수 있어야 한다.

3) Paper Surgery

전통적인 Paper Surgery는 방사선사진과 투사 가능한 template를 이용하여 실제 수술계획을 모의해보는 과정이다. 근래에는 방사선사진, 안모사진을 2차원적으로 전용 프로그램상에서 분석 및 예측하는 방법으로 발전했다. 이에 더해 최근에는 3D simulation이 가능한 전문 program을 이용하여 계측, 진단, 3D prediction and model surgery를 진행하기도 한다. 어떤 방식이든 간에 교합 및 악골의 위치 변화에 대한 이해가 기본적으로 선행되어야 하는 것은 변함없다.

(1) 측모두부방사선사진 paper surgery

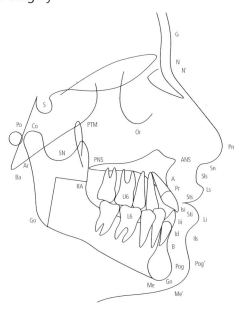

● 그림 4-1. **측모두부방사선사진의 Cephalometric tracing을 위한 주요 연조직, 경조직 계측점.**

① Cephalometric tracing

상하악의 전후방거리, 상하고경, 치아의 거리와 각도 변화 등을 모의해볼 수 있다. 우선 많은 분석법에서 기준이 되는 골격 구조물의 계측점을 확인하고 그린다. N(nasion), Or(orbitale), PTM(pterygomaxillary fissure), S(sella), Po(porion), Ba(basioin) 등이다. 상악의 경우, Pr(prosthion)에서부터 A point, ANS(anterior nasal spine), 비강저를 지나 PNS(posterior nasal spine)를 확인하고 구개부를 주행하여 상악 중절치 구개면 접촉부에서 마친다. 하악의 경우, Id(infradentale)에서부터 B point를, Pog(pogonion), Me(menton), 우각부 Go(gonion)을 지나, 하악관절와(mandibular fossa)와 과두 사이의 경계를 확인하여 Ar(articulare),

Co(condylion), SN(sigmoid notch), RA(anterior ramus)에서 마무리한다.

치아는 상하악 중절치, 견치, 제1대구치, 제2대구치를 그리고 전방분절골절단술(ASO, anterior seg-mental ostetomy)를 시행할 경우라면 발치할(또는 발치했던) 치아(통상적으로 제1소구치)와 인접치(통상적으로 제2소구치)를 작도한다. 상실된 치아는 점선으로 작도하기도 한다.

연조직의 윤곽선은 시상면 전두부의 최전방점 G(glabella)에서부터 N'(soft tissue nasion), Pn(pronasale), Sn(subnasale), Sls(superior labial sulcus), Ls(labrale superius), Sts (stomion superius), Sti(stomion inferius), Li (labrale inferius), Ils (inferior labial sulcus), Pog'(soft tissue pogonion), Me'(soft tissue menton) 및 목 부위의 CP(cervical point)까지 연결한다. 연조직 윤곽선을 작도할 때는 두부규격방사선사진 및 임상사진 촬영시와 마찬가지로 상하순과 이부 근육의 과긴장 여부를 확인해야 한다.

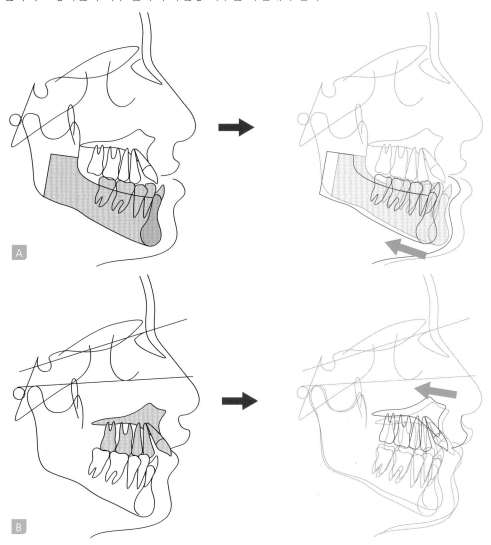

• 그림 4-2. **측모두부방사선사진의 편악수술 paper surgery. (A)** 하악전돌증에서 회색 영역이 하악편악수술 부위이며 수평후방이동을 통한 위치 변화 모식도. **(B)** 상악전돌증에서 회색 영역이 상악편악수술 부위이며 상악 후상방이동을 통한 위치 변화와 함께 하악 회전(auto-rotation) 모식도.

② Paper surgery for single-jaw surgery

편악수술 paper surgery는 매우 제한적인 조건에서 목적을 달성해야 한다. 치아교정 치료법과 악교정 수술법이 눈부시게 발전하였음에도 불구하고, 원칙적으로 정상교합 범위를 벗어나는 치료계획에 대해서 많은 의료진들은 여전히 부정적이고 시도하기가 쉽지 않다. 또한 상악이나 하악수술 여부에 따라 제한의 범위가 크게 다르지 않다. 다만 상악수술에서는 수술 후 예상되는 하악의 회전(auto-rotation) 가능성을 고려해야 하고, 하악수술에서는 이부성형술(genioplasty) 가능성을 열어 두어야 한다는 점에서 차이가 있다.

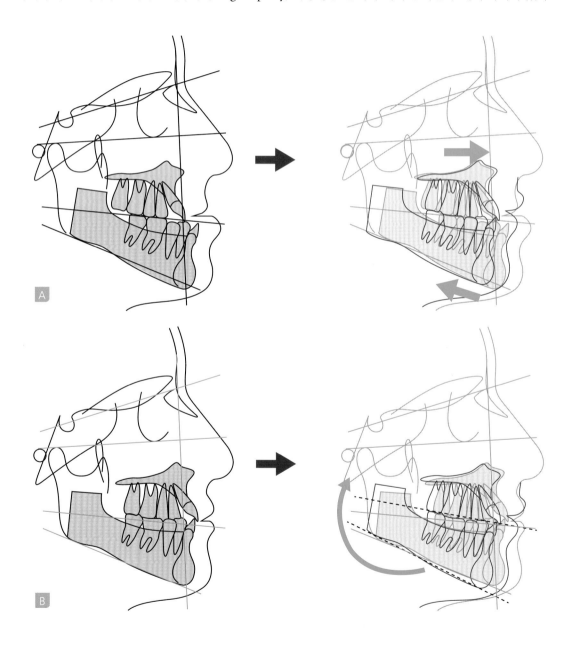

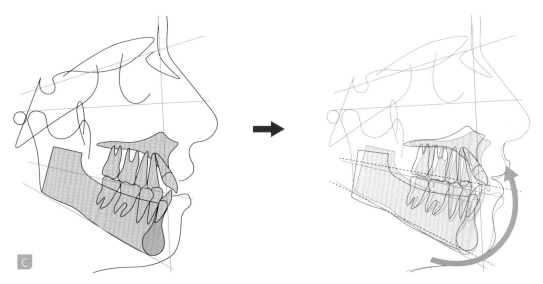

● 그림 4-3. **측모두부방사선사진의 양악수술 paper surgery. (A)** 상악후퇴증, 하악전돌증에서 회색 영역이 상하악수술 부위이며 상악 전방이동과 하악 후상방이동의 모식도. **(B)** 상하악전돌증에서 회색 영역이 상하악수술 부위이며 상하악복합체의 시계방향회전(clockwise rotation) 모식도. **(C)** 상악전돌증 및 상악수직과성장(vertical maxillary excess) 증례에서 회색영역이 상하악수술 부위이며 상하악복합체의 반시계방향회전(counter-clockwise rotation) 모식도.

③ Paper surgery for double-jaw surgery

양악수술 paper surgery는 편악수술에 비해 다양하게 모의해볼 수 있다. 상악에 대한 하악의 위치가 정상교합 범위 내에서 결정되는 것은 여전히 변함없지만, 상하악복합체(maxillomandibular complex)의 움직임은 보다 역동적이다. 보통 상악을 기준선과 기준각, 기준거리 등에 맞추어 먼저 위치하고, 치아교정 전문의와 논의하여 결정된 최종 교합에 대응하여 하악을 위치한다. 이후 상하악의 위치가 기능적, 심미적으로 부족하다고 생각된다면, 상하악복합체(maxillomandibular complex) 위치 변화, 치아 각도와 위치 변화, 최종 교합 변화 등을 통해 수정될 수 있다. 마지막으로 이부성형술 필요성을 평가하여 모의한다.

올바른 상악의 위치는 교합평면 기울기, 전방부의 전후방위치, 전방부의 수직고경 측면에서 많은 영향을 받는다. 측모두부방사선사진 분석에서 적절한 교합평면 기울기는 FH plane에 대하여 약 8도(3도) 내외이다. 상악 전방부의 전후방 위치는 Nasion perpendicular line에서 A point까지의 거리(약 0 mm 내외), SNA(약 82도 내외) 등으로 평가한다. 상악 전치의 위치는 A point를 경유하는 nasion perpendicular line으로부터 절단연까지의 거리(약 4 mm내외), FH plane에 대한 상악 중절치 치축 각도(약 110도 내외) 항목 등을 이용한다. 더불어 비순각(90 - 105도), E-line에 대한 상순의 후방 위치관계(약 3 mm 내외), 상순의 형태적 특징도 반영하는 것이 필요하다. 상악 전방부의 수직고경 위치 결정에는 교합평면 기울기, 상순 하연에 대한 상악 중절치의 노출면(약 2 mm 내외) 등이 활용된다.

올바른 하악의 위치는 치아교정 전문의와 논의하여 결정된 최종 교합에 대응하여 위치하게 된다. 때때로 치아 교합 측면에서의 이상적인 하악 위치가 심미적으로 만족스럽지 못하는 경우가 있다. 앞서 설명하였듯이 상하악복합체(maxillomandibular complex)의 위치와 각도를 조정하거나, 교정 전문의와 치아의 각도와 위치 변화에서부터 최종 교합 변화 등을 논의하여 위치를 수정할 수 있다. 다만 상하악복합체(maxillomandibular complex)와 교합평면 기울기의 변화(시계방향 또는 반시계방향의 회전)는 하악의 전후방 위치와 수직고경의 변화로 이어질 수 있다. 특히 반시계방향으로 인한 하악지 후연의 고경 증가는 연관된 저작근의 불필요한 근긴장과 측두하악관절부의 기능적 하중 증가, 치아 조기접촉 등에 의한 개방교합 등의 결과를 유발할 수 있으므로 매우 신중하게 평가해야 한다. 이부의 전후방 위치와 수직고경 변화는 이부성형술을 통한 개선을 계획해야 한다.

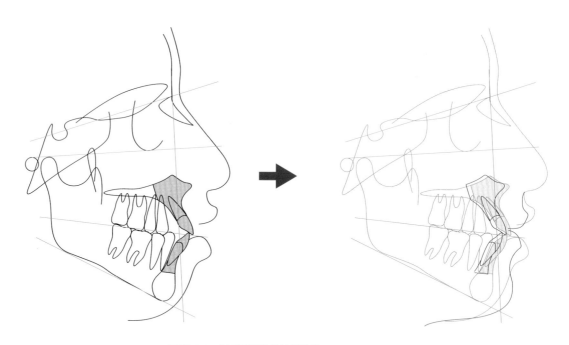

• 그림 4-4. **측모두부방사선사진의 ASO paper surgery.**

④ Paper surgery for anterior segmental osteotomy

전방분절골절단술(A.S.O.)을 모의하기 위해서는 상하악 전치부와 예정된 골절단술 인접 치아의 위치, 치근의 형태, 치축(dental axis)과 FH plane에 대한 전치부 각도, 교합평면, 상하순의 돌출도와 형태적 특징 등을 주의 깊게 분석해야 한다. Paper surgery에서 예상하는 골절단술 이후 분절골편의 이동량과 잔존 공간이 모형수술(model simulation) 결과와 다를 수 있다. 더불어 분절골편의 교합평면 변경은 대합되는 하악 전치부와의 교합관계, 절단부 인접치아의 수직 이동량의 가능성 등의 문제가 발생할 수 있다. 위와 같은 계획은 시행하기에 앞서 반드시 치아교정 전문의와 충분히 논의하여 결정하는 것이 중요하다.

(2) 정모두부방사선사진 paper surgery

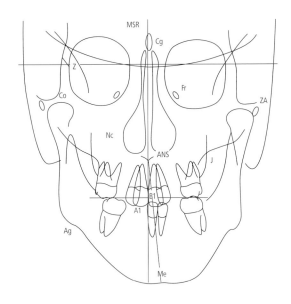

● 그림 4-5. **정모두부방사선사진의 주요 경조직 계측점과 기준평면.**

① Cephalometric tracing

정중시상면으로 양분되는 안면비대칭을 개선하기 위한 상하악의 좌우 수직고경, 교합수평면 기울기, 치아중심선 변화 등을 모의해볼 수 있다. 먼저 주요 골격과 치아 구조물의 계측점을 확인하고 윤곽선을 작도한다. 측모두부방사선사진과 비교해서 정모두부방사선사진은 구조물 중첩이 심하므로 주요 계측점을 찾기가 어려운데, 방사선사진을 촬영하기에 앞서 연조직과 치아 등에 방사선 불투과상의 마커를 부착하는 방법이 도움이 된다. 또한 안면비대칭 환자는 해부학적 턱끝 중심(chin point)이 정중시상면에 위치하게끔 머리 자세를 바꾸는(compensation) 경향이 강하다. 이와 같은 무의식적인 자세 변경은 귀꽂이가 있는 방사선사진 촬영 보다 임상사진 촬영시에 빈번하게 관찰되며, 진단 자료의 혼란스러운 정보는 정확한 안면정중선(facial midline) 설정에 큰 어려움을 안겨준다. 따라서 머리 자세를 정확하게 하기 위해서는 재현가능한 자연스러운 두부 자세(natural head position)를 확인해야 하고, 일반적으로 동공간선이 바닥에 평행하도록 유도하게 된다. 그런데 상안모와 중안모의 골격적 기형이 의심되는 경우에는 동공간선 기준선을 신뢰하기 어렵고, 휘어진 콧대와 틀어진 인중이 자주 관찰된다. 이러한 사례에서는 환자의 자연스러운 두부 자세(natural head position)에 중점을 두어 수정선을 작도하게 된다. 다만, 의료진의 경험과 진료 철학, 심미성에 대한 개인적 선호도 등에 따라 수정 방법은 다양하게 제시될 수 있다.

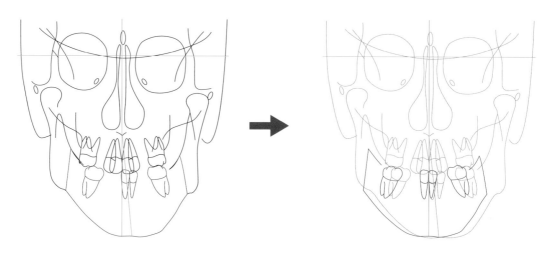

• 그림 4-6. **정모두부방사선사진의 편악수술 paper surgery.** 하악비대칭 사례에서 붉은선이 하악편악수술 부위이며 수평이동을 통한 위치 변화 모식도.

② Paper surgery for single-jaw surgery

정모두부방사선사진에서 하악 원심골편 이동을 정확하게 모의하는 것은 꽤 어려운 일이다. 하악 원심 골편의 3차원적인 변위(직선이동, pitch, roll, yaw) 구현이 어렵기 때문이다. 이전에는 교합기 상에서 상악 에 대한 하악의 이동 범위를 재현하면서 궤적을 확인하였으나, 최근에는 3D simulation program을 통해 3차원적으로 검증할 수 있게 되었다. 편악수술의 한계상 하악 우각부(angle)와 체부(body)의 좌우 수직고 경 불균형을 임의로 조정하는 것은 불가능하므로, 이와 관련해서는 하악 윤곽수술(mandible contouring) 등을 사전에 계획하는 것이 좋다.

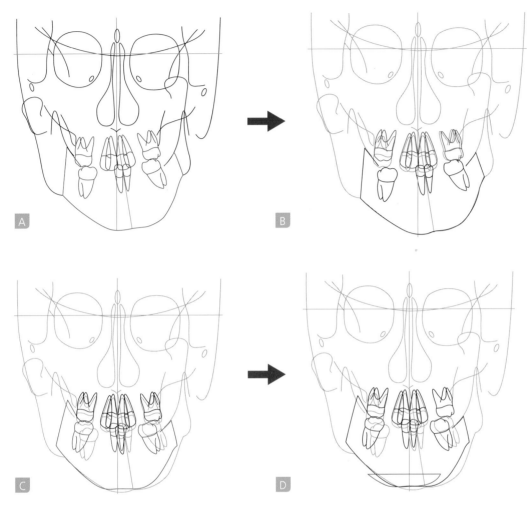

● 그림 4-7. **정모두부방사선사진의 양악수술 paper surgery. (A)** 상하악비대칭 사례에서 붉은선이 양악수술 대상의 상하악골이다. **(B)** 양악수술에서 비정상 위치의 상악을 중심선과 교합기울기 등을 기준으로 하여 정상 위치로 변화시켰다. **(C)** 상악을 올바른 위치로 이동시킨 후에 하악을 치료계획에 따라 약속된 교합에 맞추어 정상 위치로 이동하였다. **(D)** 상하악을 정위치로 변화시킨 후, 필요에 따라 추가적으로 이부성형술이 시행될 수 있다.

③ Paper surgery for double-jaw surgery

　　정모두부방사선사진 양악수술 paper surgery는 안모의 대칭적 조화를 이루는데 목적이 있다. 측모두부방사선사진과 마찬가지로 상악을 기준선 등을 바탕으로 하여 정위치하고, 치아교정 전문의와 논의된 최종 교합에 따라 하악을 위치한다. 물론 정모두부방사선사진에서 적절한 악궁간 관계와 교합 접촉을 구현하는 것은 쉽지 않다. 그러나 전치부 중심선 관계, 치관의 치축 기울기(crown angulation) 등을 통해 대략적으로 가늠해볼 수 있고 상술하였듯이 교합기 상에서의 재현, 3D simulation program을 통해 상당부분 예측 가능하다.

　　올바른 상악 위치는 안면정중선 일치와 교합수평면 기울기 조정 등의 방법으로 결정된다. 치아교정에서 특별한 이유가 없다면 통상적으로 상악 전치부의 중심선은 안면정중선에 일치한다. 그리고 양측 구치부 교합수평면 기울기(occlusal canting)를 개선하기 위한 구치부 수직고경의 조절(canting correction, roll rotation)을 계획하는데, 몇가지 주의할 부분이 있다. 우선 교합수평면 기울기를 진단하기 위해서는 임상적 특징과의 정밀한 비교가 필요하다. 비록 방사선사진에서 상악 전치부 치관의 기울기(crown angulation)와 교합수평면 기울기가 명확하게 확인되었을지라도 실제로 그 정도가 심하지 않은 경우가 있고, 그 반대 역시 존재한다. 웃었을 때 잇몸 노출면의 기울기 또한 반드시 정량적으로 정확하다고 볼 수는 없다. 더구나 하악의 좌우 변위가 동반되면, 상순의 기울기가 실제보다 더 왜곡될 수 있으므로 환자를 대면 검사할 때에 면밀하게 관찰해야 한다. 다음으로 수평면 조절과 연관된 변화의 예측이 요구된다. 예를 들어 좌우 상악 구치부 중에서 한쪽을 들어올리게 되면(upward repositioning), 그 궤적을 따라 전치부도 올라가게 되고 고경의 감소로 평가된다. 반대로 구치부 한쪽을 내리게 되면(downward repositioning), 전치부 역시 궤적에 따라 내려가고 고경의 증가로 평가될 수 있다. 회전축을 전치부 중심에 둔다면 좌우 구치부의 움직임과는 관계없이 고경 변화는 발생하지 않는다. 한가지 덧붙이면, 상악 편측 하방조절(downward repositioning)은 동측 골절단부 사이의 간극을 초래하면서 적절한 강성고정을 어렵게 하고 안정적인 골유합과 유지에 방해가 될 수 있으므로 주의할 필요가 있다.

올바른 하악 위치는 최종교합과 상악 위치에 의해 결정된다. 하악의 3차원적인 움직임은 경험 많은 의료진에게도 도전적인 일이므로 절대 paper surgery 결과 만을 믿는 것은 곤란하다. 가급적 교합기와 3D simulation program의 도움을 받아서 수술 전후 변화 정보를 분명하게 인식하고 더불어 이부성형술과 하악 윤곽수술(mandible contouring)을 함께 계획하는 것이 바람직하다.

2. 모형수술 (Model surgery)과 웨이퍼 제작

모형수술은 STO에서 계획한 악골의 이동을 3차원적으로 구현해보고 실제 수술에서 악골의 위치를 이동하는 가이드가 될 웨이퍼를 제작하는 과정이다. 양악수술수술을 위한 전통적인 방식의 모형수술은 반조절성교합기 (semiadjustable articulator)에 상악치아모형과 하악치아모형을 장착(mounting)하는 과정, 상악치아모형을 실제 수술에서와 같이 이동시키는 과정, 이동된 상악치아모형과 이동되지 않은 하악치아모형 사이에 resin을 채워 중간웨이퍼(intermediate wafer)를 만드는 과정의 순서로 진행된다. 최종웨이퍼(final wafer)는 상악치아모형과 하악치아모형을 수술직후에 목표로 하는 교합상태(이 상태는 수술후교정을 담당하게 될 교정치과의사가 설정하는 것이 바람직하다.)로 맞물리게 한 후 단순교합기(simple articulator)에 장착시키고 나서 상악치아모형과 하악치아모형 사이에 resin을 채워서 제작한게 된다. 최근에는 3D CT, 구강스캐너, 시뮬레이션 소프트웨어 등을 이용하여 전통적인 방식의 모형수술 과정을 거치지 않고 직접 웨이퍼를 만들거나 웨이퍼 없이 상악의 고정판만으로도 상악을 이동시키는 방법들도 사용되고 있다. 실제 임상에서는 집도의가 paper surgery 까지만 하고 모형수술과 웨이퍼 제작은 기공소에 의

뢰하는 경우가 더 많지만, 양악수술에 아직 경험이 많지 않은 초심자의 경우 본인이 직접 모형수술과 웨이퍼 제작을 하는 경험을 해본다면 수술을 좀더 깊이 이해할 수 있고 나중에 기공소와 의사 소통을 원활히 하는 데도 도움이 될 것이다.

1) 상악의 이동과 관련한 논리

세 개의 점의 3차원 상에서의 위치 변화를 알면 한 개의 평면의 위치 변화를 표현할 수 있다. 양악수술을 위한 모형수술에서는 상악전치의 tip, 상악 우측 제1대구치(first molar)와 상악 좌측 제1대구치의 근심협측교두(mesiobuccal cusp)의 좌표의 이동으로 상악교합면의 위치 변화를 표현한다(그림 4-8). Paper surgery에서는 측모두부방사선사진을 이용하여 2차원 상에서 전치부와 구치부의 전후방적 및 수직적 위치 변화를 계획할 수 있고 정면두부방사선사진을 이용하여 악골의 좌우 위치변화와 교합면의 기울기 변화 등을 각각 계획할 수 있지만, 모형수술에서는 상악 치아중심선의 좌우 위치 변화, ANS와 PNS의 좌우 위치 변화로 표현되는 yaw control, 상악 교합면의 기울기 변화, 상악골의 전후방적 및 수직적 변화 등을 포함한 상악골 위치의 모든 변화를 3차원 공간에서 통합적으로 구현할 수 있다.

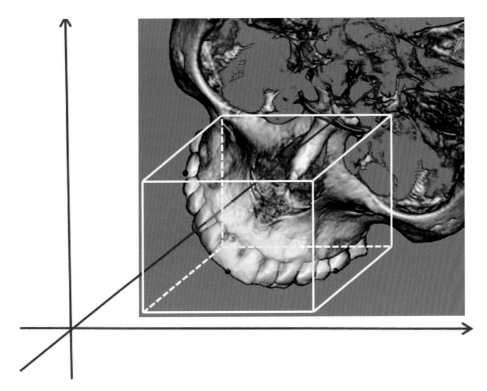

● 그림 4-8. 상악전치의 tip, 상악우측 제1대구치(first molar)의 근심협측교두(mesiobuccal cusp), 상악좌측 제1대구치의 근심협측교두 이렇게 3개의 점의 좌표의 이동으로 상악교합면의 위치 변화를 표현할 수 있다.

2) Model surgery를 위한 준비

전방분절골절단술(ASO)를 동반하지 않는 일반적인 양악수술의 모형수술을 위해서는 2쌍의 상악과 하악 치아모형을 준비하면 편리하다. 그 중 1쌍의 상, 하악 치아모형은 수술 후 교정을 담당할 교정치과의 사가 수술 직후에 얻고자 하는 교합상태를 설정하여 최종웨이퍼를 제작하는 용도로 사용하고, 나머지 1쌍의 치아모형은 반조절성교합기에 장착하여 상악을 이동시키고 중간웨이퍼를 제작하기 위한 용도로 사용한다. 또한, 술전의 교합상태를 기록하기 위해 왁스바이트(wax bite)를 채득하여(그림 4-9) 모형수술에서 교합기에 하악치아모형을 마운팅할 때 사용하도록 한다. 턱관절에 별다른 문제가 없고 중심위(centric relation)와 최대교합위(maximum intercuspidization)의 하악 위치가 큰 차이가 없는 환자에서는 평소에 무는 교합 상태에서 왁스바이트를 채득해도 별다른 문제가 없지만, 턱관절 질환을 가진 II급 부정교합 환자에서 자주 보이는 dual bite를 가지고 있는 경우라면 하악골의 위치를 중심위(centric relation)으로 유도한 상태에서 왁스바이트를 채득해야 한다.

수술 직후에 얻고자 하는 교합상태의 설정은 수술 후 교정을 담당하게 될 교정치과 의사가 하는 것이 바람직하며, 상,하악 치아모형을 가지고 수술 후 교합상태를 설정하는 과정을 paper surgery와 모형수술을 시작하기 전에 미리 해두면 상악에 대한 하악의 이동량이 결정된 상태에서 paper surgery를 할 수 있어 좀더 효율적이다.

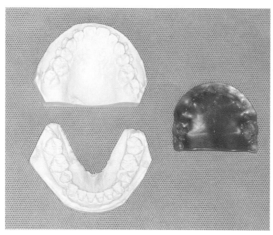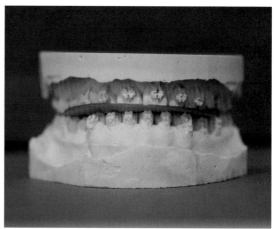

● 그림 4-9. **상하악 치아모형과 왁스바이트(wax bite)**

3) 양악수술을 위한 model surgery

(1) 안궁 이동 (facebow transfer)

Facebow transfer는 교합기에 상악치아모형을 장착(mounting)할 때 교합기 상에서의 상악치아모형의 위치가 두개골 상에서의 기준평면(대개의 경우 Frankfort horizontal plane)과 상악교합면의 위치 관계를 재현할 수 있도록 해주는 과정이다.

　　Facebow 장치는 크게 다음과 같은 요소들로 구성된다(그림 4-10A).

①　U자형 틀 (U-shaped frame)과 그에 부착되는 장치들 :

　　귀막대 (ear rods), 안와지시자 (orbital pointer)

②　바이트포크 (bite fork) :

　　악궁 모양의 틀과 그에 부착된 막대기

③　이동 잠금나사 조합 (transfer clamp assembly) :

　　U자형 틀과 바이트포크를 연결하면서 두 요소들의 상하, 좌우, 전후 관계를 나타낼 수 있도록 2개의 막대기(rod)와 3개의 잠금나사(clamp)로 구성되어 있다.

④　장착 플랫폼 (mounting platform) :

　　바이트포크와 그에 연결된 이동잠금나사조합을 교합기에 장착시키는 장치

Facebow transfer를 진행하는 과정은 그림 4-10와 같다.

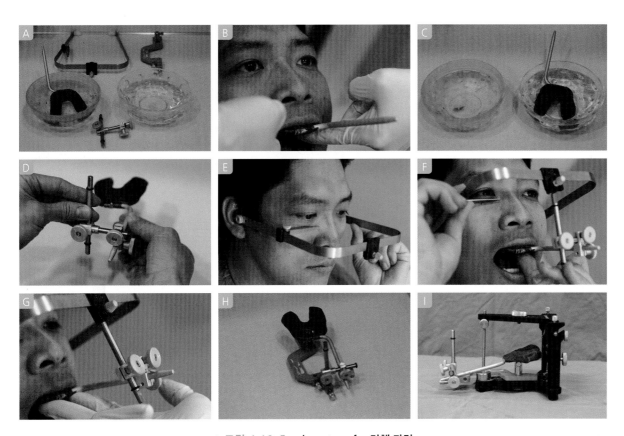

● 그림 4-10. **Facebow transfer 진행 과정.**

A) 왁스를 따뜻한 물에 담근 후 바이트포크에 있는 악궁 모양의 틀에 씌운다.

B) 왁스로 덮인 바이트포크를 상악교합면에 대고 누른다. 왁스가 굳기 전에 이 과정을 마친다.

C) 상악교합면이 왁스에 찍힌 상태의 바이트포크를 찬 물에 담가 왁스를 굳힌다.

D) 바이트포크의 왁스가 굳고 나면 바이트포크에 있는 막대기 부분에 이동잠금나사조합을 임시로 연결시킨다.

E) U자형 틀에 장착된 귀막대(ear rods)와 안와지시자(orbital pointer)를 각각 양쪽 귓구멍과 한쪽 안와하연(infraorbital rim)에 대어 U자형 틀의 위치를 잡는다.

F) 이동잠금나사조합이 연결되어 있는 바이트포크를 다시 상악 교합면에 댄다.

G) U자형 틀과 바이트포크의 위치를 유지한 상태에서, 이동잠금나사조합에 있는 세 개의 잠금나사들을 잠시 느슨하게 풀어준 후 이동잠금나사조합이 U자형 틀과 바이트포크를 정확히 연결할 수 있도록 하고 나서 다시 잠금나사들을 단단히 조여준다.

H) 바이트포크에 연결된 이동잠금나사조합을 장착 플랫폼에 연결한다.

I) 장착 플랫폼을 교합기에 장착한다.

다만 이러한 facebow transfer 과정은 환자의 양측 귀나 눈의 높이가 대칭적인 상황을 전제로 한 것이기 때문에 만약 안면비대칭이 심하여 양측 귀에 귀막대를 삽입할 수 없는 상황이거나 다른 이유들로 인해 facebow transfer를 하기 어려운 상황이라면 측모두부방사선사진 상에서 상악 전치의 tip과 FH line 사이의 수직 거리, 상악 제1대구치의 근심협측교두와 FH line 사이의 수직 거리, 이학적 검사에서 관찰한 canting의 정도, 상악치아중심선과 얼굴중심선의 좌우 위치 차이 등을 반영하여 facebow transfer 과정을 생략하고 상악을 mounting할 수도 있다.

(2) mounting
① 상악치아모형 mounting

i) 교합기에 장착한 bitefork 위에 상악치아모형을 얹는다(그림 4-11A).

ii) 교합기의 upper jaw member에 mounting plate를 끼운다(그림 4-11B). 이때, mounting plate에 base를 만들어두고 그 표면에 바셀린을 미리 발라두면 나중에 상악치아모형과 분리하기가 용이하다(그림 4-11C).

iii) upper jaw member에 끼운 mounting plate와 상악치아모형 사이의 공간을 석고로 채운다.
이때, 사이 공간 전체에 석고를 채울 수도 있지만 위치 변화가 생길 세 점의 위치를 포함하여 3-4 군데에만 기둥 형식으로 석고를 채우면 나중에 상악의 위치를 이동하기 위해 상악모형을 다듬기가 더 수월해진다(그림 4-11D).

iv) upper jaw member와 lower jaw member 사이를 고무줄로 고정하고 석고가 굳을 때까지 기다린다(그림 4-11E).

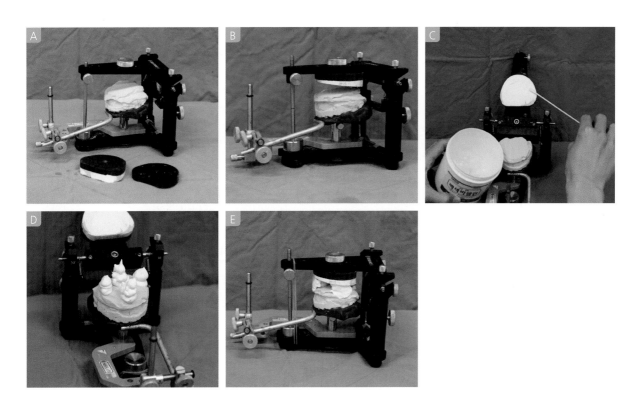

● 그림 4-11. **상악치아모형을 교합기에 장착(mounting)하는 과정.**

② 하악치아모형 mounting

i) upper jaw member가 바닥에 놓이게 교합기를 뒤집고 mounting platform을 탈착한다(그림 4-12A).

ii) 상악치아모형의 교합면에 wax bite를 얹고 그 위에 하악치아모형을 얹는다(그림 4-12B)

iii) lower jaw member에 끼운 mounting plate와 하악치아모형 사이의 공간을 석고로 채운 후, upper jaw member와 lower jaw member 사이를 고무줄로 고정하고 석고가 굳을 때까지 기다린다(그림 4-12C).

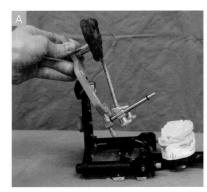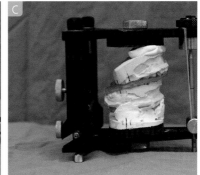

● 그림 4-12. **하악치아모형을 교합기에 장착하는 과정.**

(3) 상악치아모형의 이동

① 상악치아모형이 붙어 있는 mounting plate를 upper jaw member로부터 분리한 후, 상악 전치의 tip, 좌우 상악 제1대구치의 근심협측교두 이렇게 세 군데에 유성 펜으로 점을 찍어둔다(그림 4-13A).

② 상악치아모형이 붙어 있는 mounting plate를 모형측정기에 장착한 후, 미리 표시한 세 점의 상하, 좌우, 전후 위치를 각각 기록한다(그림 4-13B,C,D,E,F)

③ 상악치아모형을 mounting plate로부터 분리한다. Mounting plate에 붙은 base에 미리 바셀린을 발라두었다면 분리가 쉽게 될 것이다(그림 4-13G).

④ 상악치아모형의 윗면 다듬기와 모형측정기에 장착한 mounting plate에 붙은 base에 상악치아모형을 얹어 좌표 측정하기를 몇 회 반복하면서 상악이 계획한 위치로 이동되도록 한다(그림 4-13H,I).

⑤ 상악이 계획한대로 이동되었으면 그 상태에서 상악치아모형과 mounting plate에 붙은 base 사이에 torch로 가열해서 녹인 wax를 부어 고정하고 남은 공간을 석고로 채워 고정력을 보강한다(그림 4-13J,K).

⑥ 위치 이동이 된 상악치아모형이 붙은 mounting plate를 모형측정기에서 분리하여 교합기의 upper jaw membrane에 다시 장착한다(그림 4-13L).

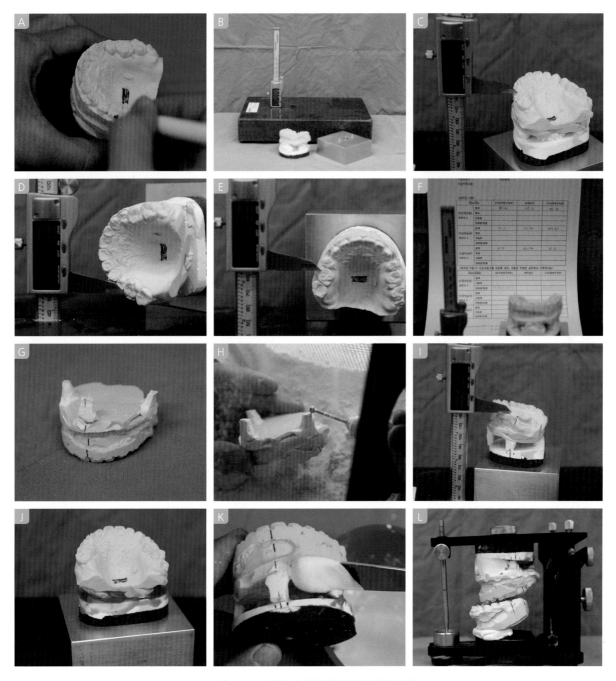

● 그림 4-13. **모형수술에서 상악치아모형의 이동.**

(4) 웨이퍼 (wafer) 제작

① 중간웨이퍼 (intermediate wafer) 제작

i) 위치가 이동된 상악치아모형과 원래 위치의 하악치아모형이 장착된 교합기, 레진(resin)을
    만드는 재료가 되는 가루(powder)와 용매(liquid), 가루와 용매를 담고 반죽하는 데 쓸 작고 말

랑말랑한 고무그릇(rubber dappen dish), 가루와 용매를 골고루 섞어주는 데 사용할 얇은 주걱 (cement spatula), 용매를 덜어 쓸 스포이드, 상,하악 치아모형의 표면에 바를 분리재 (separating solution), 분리재를 묻혀서 바르는 데 사용할 얇은 솔 등을 준비한다(그림 4-14A).

ii) 웨이퍼가 만들어지고 나서 치아모형으로부터 쉽게 분리될 수 있게 하기 위해, 레진으로 덮을 상하악 치아모형의 표면에 분리재를 골고루 바른다(그림 4-14B).

iii) 용매를 스포이드에 담아 고무그릇에 넣는다(그림 4-14C).

iv) 레진 가루를 용매가 담긴 고무그릇에 넣는다(그림 4-14D,E).

v) 얇은 주걱으로 레진 가루와 용매를 골고루 섞어준다(그림 4-14F).

vi) 반죽으로 변하기 시작하면 고무그릇을 눌러가면서 반죽을 섞어준다(그림 4-14G).

vii) 레진 반죽을 고무그릇에서 꺼내어 말발굽 형태로 만든 후 하악 치아모형의 교합면 위에 얹는다. 이때 반죽이 교합면과 치아를 충분히 덮되 필요 이상으로 두껍게 덮지는 않게 한다(그림 4-14H)

viii) 교합기를 닫아 상악치아모형이 하악치아모형 위에 놓인 레진을 덮게 한다. 레진이 굳는 과정에서 팽창하면서 교합기가 열릴 수 있으므로 이를 방지하기 위해 교합기의 upper jaw membrane과 lower jaw membrane을 고무줄로 단단히 고정하고, 밖으로 삐져나온 불필요한 레진은 다듬어서 제거한다(그림 4-14I). 여기까지의 과정을 레진이 굳기 시작하기 전에 마친다.

ix) 위의 모든 과정이 끝나고 나서 교합기를 밀폐된 압력솥에 넣고 압력을 가하면 레진이 투명한 웨이퍼로 변한다. 웨이퍼가 만들어지면 웨이퍼에 치아가 놓일 홈들 사이의 바깥 공간에 드릴로 미리 구멍을 뚫어 수술 중 철사가 통과할 수 있도록 한다(그림 4-14J).

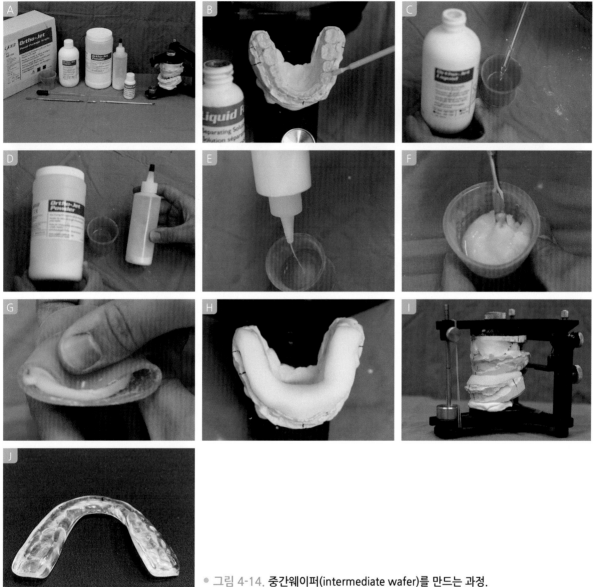

● 그림 4-14. 중간웨이퍼(intermediate wafer)를 만드는 과정.

② 최종웨이퍼 (final wafer) 제작

최종웨이퍼를 만드는 과정은 중간웨이퍼를 만드는 과정보다 훨씬 간단하다. 중간웨이퍼를 만드는 과정에 사용되는 상,하악치아모형과 동일한 모형 한 세트를 더 준비해서 교정치과 의사가 수술 직후의 교합상태를 설정하고(그림 4-15A) 작은 나무 막대기와 wax를 이용해 상,하악 치아모형을 고정한다(그림 4-15B). 이렇게 고정된 상태의 상,하악치아모형을 힌지 타입(hinge type)의 단순교합기에 장착하고 나서 그 사이에 레진을 채워 최종웨이퍼를 만든다. 레진을 만들어 얹고 웨이퍼로 만드는 기술적인 방법은 중간웨이퍼를 만들 때와 동일하다.

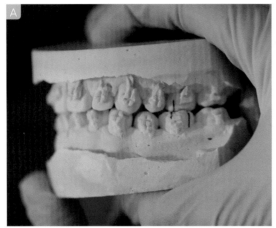
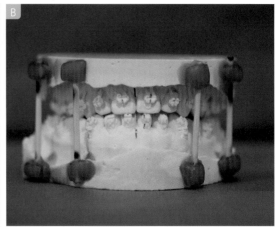

● 그림 4-15. 상,하악치아모형을 수술 직후 목표로 하는 교합상태로 위치시키고 고정하는 방법.

(5) 웨이퍼 확인

중간웨이퍼와 최종웨이퍼의 제작이 완료되면, 수술 전에 미리 환자의 구강 내에 시적해보고 잘 맞는지 확인한다. 만약 잘 맞지 않는다면 웨이퍼를 다시 제작해야 할 수도 있으므로 이를 감안하여 수술하기 전 며칠 정도의 여유를 두고 확인하는 것이 바람직하다.

📑 참고문헌

1. 박재억. 악교정수술학. 군자출판사. 2003.
2. 최병택. 수술교정을 위한 단계별 준비. 지성출판사. 2004.

미용양악수술을 위한 교정치료
(선수술, 선교정, 최소술전교정)

Orthodontic Treatment for Aesthetic Two-Jaw Surgery

| 김기범 |

1. 양악수술을 위한 교정치료의 필요성

1) 양악수술이란?

학술적 용어로는 '악교정수술' 또는 '턱교정수술'로 불리며 상악과 하악을 수술한다고 하여 양악수술이라 호칭한다. 상악과 하악 중 하나만을 수술하는 편악수술도 악교정수술에 해당되지만 이 책에서 주로 다루는 내용이 양악수술이므로 양악수술 위주의 내용을 설명한다. 양악수술은 주걱턱, 안면비대칭등 악골의 위치나 기능이 정상적이지 않을 경우 상악과 하악골을 절골하여 올바른 위치로 바로잡는 수술로 저작이나 발음의 정상화를 위한 기능교정뿐 아니라 외모개선의 효과를 가져올 수 있는 수술이다.

2) 양악수술이 필요한 경우

- 상악의 과성장, 열성장과 하악의 과성장, 열성장 또는 복합된 경우.
  (골격성 2, 3급 부정교합이 중증도 이상인 경우)
- 주걱턱의 아래턱만 수술을 할 경우 여전히 주걱턱처럼 보일 것이 예상되는 경우.
- 정상교합이지만 주걱턱처럼 보일 경우.
- 실질적으로는 경도의 골격적 부조화이지만, 코옆의 얼굴이 꺼져보여서 주걱턱이 더 심하게 보이는 경우.
- 돌출입이 심한 경우.
- 장안모 증상, 개방교합 혹은 안모 비대칭, 저작이 힘든 중등도 부정교합의 경우.

- 잇몸노출이 심한 gummy smile의 경우.
- 구순구개열 같은 선천성 악안면 기형 혹은 외상 및 병적상태로 인한 악골발육장애인 경우.

위와 같은 증상을 가지고 있는 환자들에 있어서 악골간 부조화가 중등도 이상의 경우에 주로 양악수술을 시행한다. 경도 부조화의 경우 간혹 치아교정치료만으로 부조화 개선의 가능성이 있을 수 있으나, 중등도 이상의 부조화인 경우 수술 없이 부조화를 개선하려 하면 치아가 비정상적인 각도로 쓰러지게 되고, 부적절한 교합관계로 턱관절 기능이 보호받지 못하는 문제가 발생할 수 있으며, 얼굴의 미적 개선도 충분하지 않을 수 있기 때문이다. 최근에는 얼굴이 긴 장안모 개선, 밋밋한 얼굴형, 잇몸이 많이 보이는 소위 gummy smile 등의 개선 같이 단순 미용목적으로 얼굴형의 개선을 위한 경우의 양악수술도 환자의 요구에 의해 시행되기도 한다.

따라서 양악수술은 악골 간의 균형을 바로잡아 교합 기능을 개선하려는 목적과 얼굴 모습의 문제를 유발한 악골의 부조화를 해결하여 얼굴의 미용적인 개선을 도모하려는 목적으로 시행되는 수술이라고 볼 수 있다.

3) 양악 교정치료의 필요성

양악수술을 고려할 때 수술 전후에 교정치료가 필요한지에 대한 진단과 분석의 과정에서 결정을 한다. 일반적으로 악골간 골격적 부조화가 큰 경우 이러한 부조화 상태에 적응하기 위해 치아의 각도가 비정상적인 상태로 변화하게 되는데 이런 기전을 보상(compensation)작용이라고 하고 이러한 보상작용에 의해 보상적 교합(또는 위장교합이라고도 한다.)이 나타나게 된다.

이러한 보상적 교합이 일어난 경우 대개 양악수술과 동반되는 수술 전, 후 교정치료가 필요하게 된다. 이러한 보상적 교합 이외에 악궁의 형태의 변형이 일어난 경우에도 역시 양악수술의 성공을 위하여 수술 전,후 교정치료를 통하여 개선한다. 물론 단순 gummy smile과 같이 교합에 문제가 없는 경우에는 수술 전후 교정치료 없이 양악 수술만 시행하는 경우가 있을수 있다. 최근에는 정확한 진단, 분석과정을 통하여 적응증이 되는 경우에 한하여 선수술, 후 교정치료 방법을 통하여 수술 전 교정치료를 생략하거나 최소화하는 경우도 있다.

4) 양악수술 교정팀을 통한 양악수술 치료의 장점.

수술 담당 의사와 교정치료 담당 의사로 구성된 양악수술 교정팀은 다음과 같은 장점이 있다.
(1) 환자를 어떻게 치료할 지에 대해 수술 담당 의사와 교정치료 담당 의사간의 치료에 대한 합의된 동의를 제공한다.
(2) 양악수술 치료 계획과 목적은 확실히 제대로 된 적응증에 의해 선별된 환자에게 제공된다.
(3) 비록 치료 계획이 도중에 변경된다 하더라도, 적응증만 된다면 확실한 가이드를 가지고 치료를 진

행할 수 있다.

5) 수술 후 교정치료의 개시 시기

수술 후 교정치료의 개시 시기는 악간고정 상태의 유지에 따라 다르지만, 일반적으로는 4주 이후부터 교정치료를 받기를 권유한다. 그러나, 최근 선수술 후 교정치료의 개시시기는 RAP (Rapid Acceleratory Phenomenon)의 효과를 위하여 수술 2주 후부터 교정치료를 시작하며 동시에 하악골의 수술 후 안정성을 위하여 Vertical Pull Head Gear (or Chin Cap)을 권하기도 한다.

2. 전통적인 수술 전 교정치료와 수술 후 교정치료 (CPO: Conventional Presurgical Orthodontics)

현대 교정학에서 양악수술과 치과교정학의 접목이래로 만들어진 전통적인 가이드라인에서 수술 전 교정치료는 다음과 같은 사항을 포함한다. [1,2]

1) 레벨링, 총생해결을 포함한 치아배열 문제 해결

2) 전치부의 적절한 각도 형성(decompensation)

3) 상하악 악궁의 조화(arches coordinating)

4) 교합간섭의 해결

그렇다면, 수술 전 교정치료는 왜 필요할까?

이는 악골의 부조화에 적응하기 위한 치아의 보상(dental compensation) 기전으로 인해 비정상적으로 변화된 치아의 위치와 각도를 수술 전에 역보상(dental decompensation) 시켜 정상적으로 되돌려놓지 않으면 남아있는 치아의 위치 문제가 수술 시에 악골의 충분한 이동을 방해하여 골격적인 문제를 완벽히 해결할 수 없는 경우가 생길 수 있기 때문이다(그림 5-1).[3]

전통적인 수술 전 교정치료의 기간은 환자의 상태와 담당 교정치료 치과의사에 따라 다르지만 보통 최소 6개월에서 최대 2년정도까지 걸릴 수 있으며, 전체 치료기간 중 가장 긴 기간에 해당한다. 전통적인 방식에서 이렇게 수술 전 교정치료 기간이 길어지는 이유는 각 악골 내에 배열된 치아의 위치와 각도 문제를 수술 전에 모두 해결하여, 골격의 위치 문제만 제외하고는 이상적인 교합을 완성해놓고 나서 수술을 하려고 하기 때문이다.[4,5]

양악수술의 대상이 되는 두개골격성 문제 중 아시아인에게서 가장 많은 부분을 차지하는 것은 골격성 3급 부정교합 문제일 것이다. 일반적으로 양악수술에서 하악을 절골할 때는 BSSRO와 IVRO의 두가지 방법 중에서 선택을 하게 되는 경우가 많은데, 교정치료를 양악수술과 떼어낼 수 없는 요소라고 한다면 골격성 3급 부정교합을 가진 아시아인의 양악수술시에 BSSRO와 IVRO 각 수술법의 수술 시행 후 안정성에 대한 문제는 교정치료에 있어서도 상당히 중요한 문제라고 여겨진다.

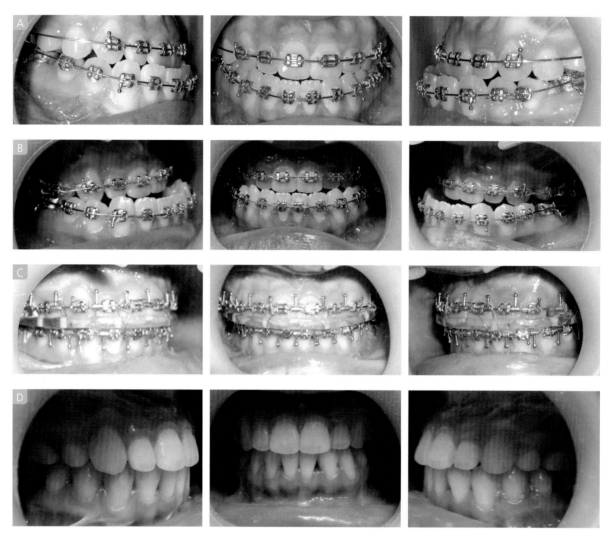

● 그림 5-1. 전통적인 수술전 교정과 수술후 교정, 골격성 3급부정교합과 비대칭 증례.

수술 전까지는 장기간에 걸쳐서 교정치료를 진행하여 arch cordination과 decompensation을 진행하지만, 일단 수술 후부터는 거의 교합상태가 맞아 수술 후 교정치료가 수술 전에 비해 상대적으로 짧다.

A) 전형적인 compensation된 교합상태. 수술 전 conventional 교정치료 시작.

B) 양악수술 직전 전형적으로 decompensation된 상태.

C) 양악 수술 시 surgical wafer를 이용하여 IMF를 확실히 한다.

D) 교정치료 종료. 제대로 conventional수술교정치료를 하였다면 수술 후 교정치료를 종료하는데 시간이 많이 걸리지는 않는다.

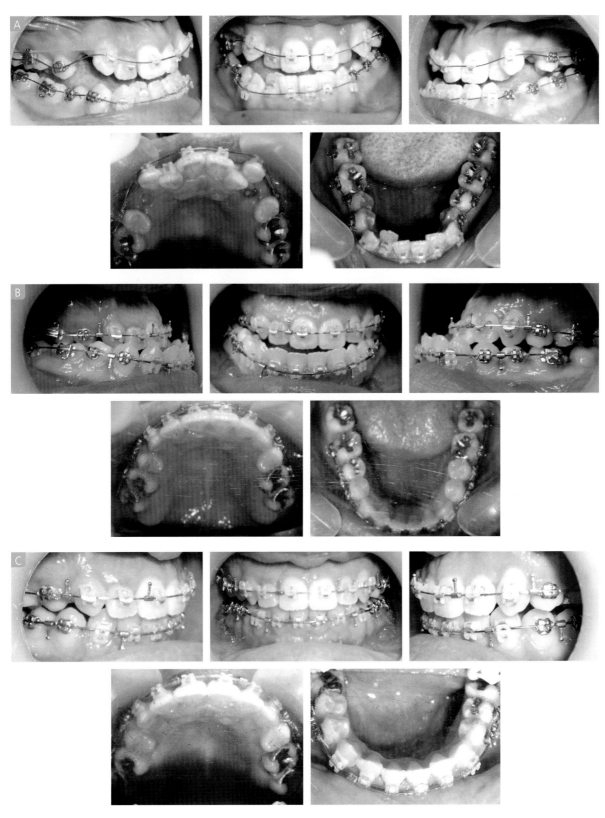

그림 5-2. 계속

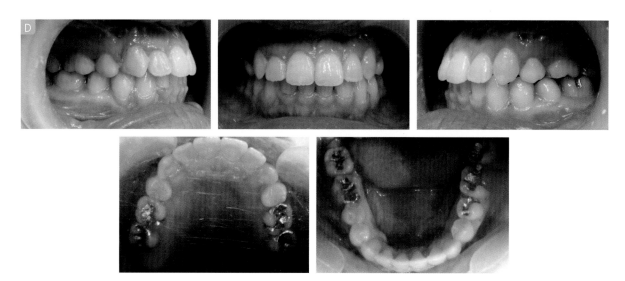

● 그림 5-2. **Crowding과 비대칭을 동반한 심한 골격성 3급부정교합자의 수술 전, 후 교정치료.**

A) 교정치료 시작.

B) 수술전 충분한 교정치료를 통해 decompensation이 되었으므로 골격 위치 이상에 의한 부정교합 상태를 제외하고는 거의 모든 것이 정상화되어 있게 된다.

C) 수술 후 회복 기간을 거친 후 surgical wafer를 제거하고 나면 거의 정상에 가까운 교합 상태가 된다.

D) 교정치료 종료.

과연 BSSRO와 IVRO중 어느 방법이 수술 결과에 있어 안정성이 더 우수할까? 이에 대해 각각의 수술법을 지지하는 수술의의 연구 결과에 따라 조금씩은 다르지만 대체적으로 두 방법 모두 3급골격성 환자의 양악수술 후의 안정성에 있어서 우수하다는 연구결과가 있다.(6) 다만 골격성 3급부정교합자의 하악골후방이동 후 하치조신경(IAN, Inferior alveolar nerve)의 신경감각장애(NSD, Neurosensory Disturbance)의 발생률이 통계학적으로 IVRO가 BSSRO보다는 좀 더 감소된다는 보고가 있다.(6)

한국인 골격성 3급환자들을 대상으로 한 IVRO수술방법으로 시행된 수술환자에 대한 수술 후 안정성에대한 2016년의 연구결과는 다음과 같다. 비록 수술 후 약간의 재발이 초기 overbite에서 아주 조금 보여진다 하더라도, 수술 전의 개방교합의 존재 유무와 상관없이 IVRO를 사용한 골격성 3급 부정교합 환자에 대해 수술 후 시간이 경과함에 따른 안정성은 좋은 결과를 보여준다.(7)

골격성3급 부정교합 환자에서 BSSRO 방법으로 절골한 하악골을 후방으로 이동한 후 골편을 고정할때는 대개 bicortical screw fixation 방법이나 miniplate fixation 방법 중 하나를 사용하는데, 과연 이 두 방식은 수술 후 안정성에 있어 어떤 차이가 있을까?

Bicortical screw fixation방법이 miniplate fixation법보다 수술 후 골격적 안정성 면에서 아주 약간 우수하다는 연구결과가 있지만, 이는 그 차이가 통계적으로 그리 중요하지는 않다고 한다.(8)

3. 선수술을 위한 교정치료 (Surgery First Orthodontics)

전통적인 선교정치료 후 양악교정수술을 하다 보면 최소 6개월에서 최대 약 2년의 기간 동안의 선교정치료 동안에 외모와 기능이 악화되는 경우가 많다. 이는 선수술 양악수술법이 단지 병원의 수익 창출을 위해 빨리 수술부터 한다는 오해에 대한 답이 되기도한다. 사실상 양악수술시 선수술을 하면 빠른 외모변화를 얻는 목적과 전체 교정치료기간이 줄어드는 장점도 있지만, 선교정 기간 동안에 외모와 기능이 악화되는 것을 막을수 있는 장점도 있는 것이다.(9)

따라서 선수술방법을 통한 양악수술을 한마디로 정의하면, 교정치료 전 상하 앞니의 위치가 수술시 하악의 이동량과 적절한 교합의 안정성이 확보가 된 경우 환자의 시간적, 외모와 관계된 심리적 편익을 위하여 하는 양악수술이라 말할 수 있겠다.

선수술 양악수술 방법은 전통적인 양악수술법과는 반대로 진행이 된다. 즉, 환자 얼굴의 정상적이고 균형적인 회복과 상하악골간의 정상적인 관계를 먼저 회복시키고, 이어지는 교정치료기법은 전통적인 원칙을 지켜가며 정상에 가까운 얼굴과 1급교합의 확립을 위한 나머지 문제를 해결한다.(10)

1) 선수술로 양악수술을 진행할 경우 전체 치료기간이 짧아지는 이유

선수술 양악교정수술을 하면 교정치료를 포함하여 전체기간이 짧아진다는 데 그 이유는 뭘까? 이에 대한 연구논문들의 설명을 요약하면 다음과 같은 두 가지로 설명을 할 수가 있다.

(1) 선수술 양악수술을 하여 거의 정상에 가까운 악골간의 관계를 회복하면 이에 따라 안면의 연조직도 정상적인 상태로 되돌아간다. 이에 따라 기존의 전통적인 선교정치료가 종료되어 수술을 하기까지 특히 전치부를 포함한 치아들의 위치는 소위 중립위치(neutral zone)에서 벗어나서 비효율적인 치아이동을 겪어야만 했지만, 선수술 양악수술을 하면 이러한 비효율적인 치아 이동을 겪는 일이 없으므로 교정치료 기간이 짧아질 수 있다는 의견이다.(10)

(2) RAP (Regional Acceleratory Phenomenon)이라고 불리는 뼈의 상처치유 기전으로부터 유래한 개념으로 AOO(Accelerated Osteogenic Orthodontics)와 같은 개념의 치아이동 촉진 방법에 의함이다.(11,12,13,14) 이러한 방법을 이용하기 위해서 수술 2주 후 교정용 철사의 사용을 NiTi로 사용하여 빠른 치아이동을 도모하기도 한다. 전통적인 선교정치료 후의 수술을 한 뒤 후교정 치료시에 양악간 고정을 위하여 수술시 사용한 굵은 각형 철사를 사용하는데, 이러한 경우 수술 후 양악의 안정성을 위하여 vertical chin cap을 사용하기도한다. RAP효과는 양악수술 후 며칠 뒤부터 약 2달간 치아이동을 위한 최적의 상태를 유지하므로 이 기간에 치아 이동을 신속히 할 수가 있다고 믿기 때문이다(그림 5-3).(9,15)

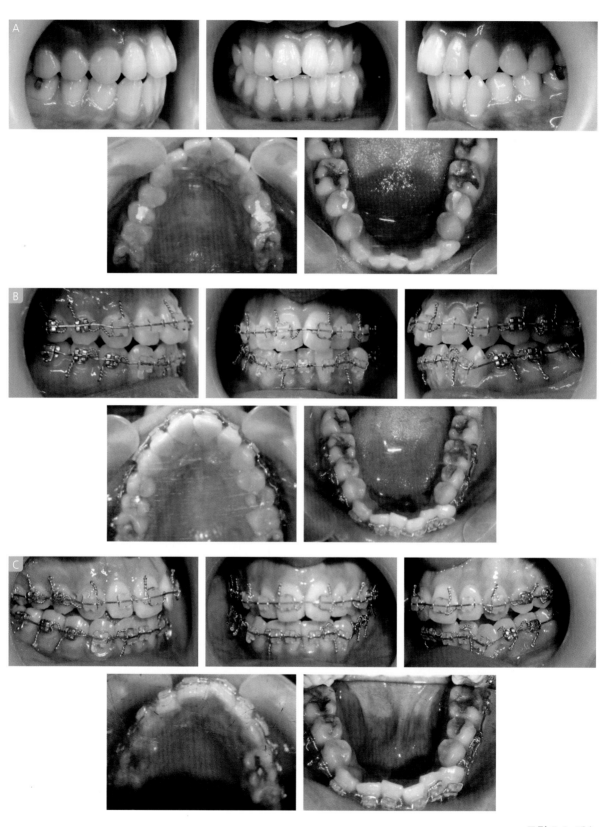

그림 5-3. 계속

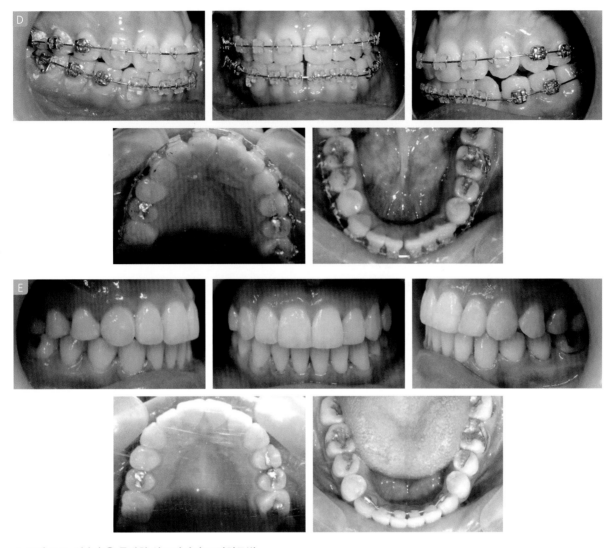

● 그림 5-3. **선수술을 동반한 악교정 수술교정치료법.**
수술을 통해 안모를 빨리 개선할 수 있을 뿐만 아니라 수술 후 RAP반응으로 인해 치아의 이동속도가 빨라지는 점을 활용하여 전체적인 교정기간을 단축할 수 있다는 장점이 있다. **A)** 초진. **B)** 수술 전. **C)** 수술 1개월 후. **D)** 수술 후 교정치료 진행중. **E)** 교정치료 종료.

2) 선수술교정법(SFA)의 적응증[15]

    (1) 전치부에서 mild 이하의 crowding,

    (2) Curve of Spee가 flat to mild

    (3) 전치부의 전후방경사도가 normal 에서 mild

      : 이 경우 상악은 palatal plane에 대한 상악 전치부의 각도, 하악 전치부는 하악평면각에 대한 관계
      에 기초한 경사같은 기준에 의한 경사도여야 한다.

이러한 적응증을 기초로 model surgery 과정을 통해서 SFA여부를 확정하는 것이 좋다.

3) 선수술교정(SFA)을 위한 위한 일반적인 가이드라인[15]

(이 가이드라인은 수술시 rigid fixation을 기반한 수술법에 적용된다)

(1) 수술 전에 교정용 철사를 넣지않은 상태에서 교정용 브라켓을 장착한다. 수술 후 1주일이 경과한 이후부터 교정용 철사를 넣을 수 있다. 만일 crowding이 너무 심한 경우라면 악궁의 과한 확장을 피하기 위해 수술 전 미리 발치를 하여도 좋다.

(2) Model surgery를 위해 상하악을 적절한 구치관계와 (+)과개교합으로 셋업하여야 한다.

　① 구치부 관계 설정하기

　　i. 구치부관계를 1급으로 셋업하여야 하는 경우

　　　: 비발치 경우, 혹은 양악 좌우 1소구치발치

　　ii. 구치부 관계를 3급으로 셋업설정해야하는 경우

　　　: 하악 좌우 1소구치 발치의 경우

　　iii. 구치부 관계를 2급으로 셋업설정해야 하는 경우

　　　: 상악 좌우 1소구치발치의 경우

　② 일단 구치부 관계가 설정이 된 이후 수평피개교합이 정해진다.

(3) 술후 교정치료는 RAP(Rapid Acceleratory Phenomenon)의 장점을 얻고자 한다면 이르면 술후 1주 후부터 길게는 술후 1달 후부터 시작하면 좋다. 이때 치아교정에 의한 치아이동을 위해 수술웨이퍼과 상하악간 고정은 제거해야 한다. 하지만 골격성 3급 양악수술환자의 경우에 있어서 교정치료를 위한 치아이동을 위해서 vertical pull chin cap 같은 악정형장치를 사용하는 것이 좋다고 권고한다. 이 가이드라인의 기본적 모태가 되는 대만 장궁병원 교정과에서의 경험에 의하면 RAP 가능 기간 동안에 치아의 배열, 전후방과 수직, 수평방향으로의 치아이동은 쉽고 매우 빠르다고 하며, 실제로 임상에서 진료하다 보면 이들의 경험을 공감할 것이다.

4) 골격성 3급케이스에서 치아의 수직적, 수평적 decompensation을 위한 가이드라인.

(1) 골격성 3급부정교합에서 심하게 전방경사된 상악 전치의 수평적 decompensation은 ① 상악 좌우-1소구치 발치와 ASO 수술에 의해 해결하던가, 혹은 ② Le Fort I 상악수술을 통해 상악을 시계방향으로 회전시켜 상악 전치부의 각도를 줄여줌으로써 해소할 수 있다.

　그러나, 모든 수술과 치료를 마친후 하악 제2대구치의 교합적 대응치와의 관계를 고려하면 ②안이 추천되어진다.

(2) 골격성 3급부정교합자의 수술에서 moderate retroclined 혹은 crowding된 하악전치부의 수평적 de-

compensation은 과도한 수평피개교합을 동반한 구치부 1급 교합으로 set-up함으로써 해결할 수 있고, 이때 하악전치부는 수술 후 교정치료를 통한 배열을 통해서 정상 수평피개교합을 얻을 수 있다.

(3) 골격성 3급 부정교합자의 수술 경우에서 severe retroclined 혹은 crowding이 있는 하악전치부는 하악좌우소구치발치와 ASO를 통해서 해결할 수 있고, 이때 교합은 과도한 수평피개를 동반한 구치부 3급교합으로 set-up하고난후 수술 후 하악전치는 교정을 통해 정상 피개교합을 갖게된다.

(4) 골격성 3급부정교합환자의 수술에서 moderate to severe Curve of Spee를 동반한 경우는 수술 전에 미리 해결하는 것이 좋고, 그럴 상황이 되지 않으면 수술시 ASO를 통해서 이를 해결하는 것이 좋다. 만일 수술 전에 이러한 사항이 해결되지 못한다면, 수술 후 하악은 교정적으로 이를 해소하는 과정에서 전상방으로 이동하게 될것이다. 하악의 전상방회전이동은 하악열성장 골격성 2급 부정교합의 양악수술 환자에서 턱끝의 외모개선 효과를 얻을 수 있으나, 골격성 3급수술환자에서의 이러한 하악의 이동은 턱이 수술 후 전방으로 더 튀어나와보이는 외모의 악화현상을 가져온다. 수술 후 이러한 하악의 전상방회전이동을 피하기위하여 수술 후 하악전치는 함입이 되어야하며 동시에 상악전치는 정출이 되어야 한다.

(5) 수술 후 첫 3개월 동안에 하악의 골격적 재발을 방지하기 위해서 원래 어린이의 골격성 3급부정교합의 치료에 사용하는 악정형장치인 chin cap의 사용을 상기의 목적으로 용도변경하여 사용할 수도 있다. 이러한 chin cap의 사용과 동시에 구강내에는 NiTi를 사용하여 crowding을 해소할 수도 있다.

5) 골격성 2급부정교합 환자의 SFA에서 전치부 전후방, 수직적 decompenation에 대한 가이드라인.[15]

(1) 하악성장결핍 혹은 하악후방위 골격성2급 부정교합자 하악 악궁에서 moderate 에서 severe Curve of Spee와 전치부가 많이 경사된 경우:
하악의 전방분절은 수직적으로 조절되어 전체적으로 하악치아의 교합면이 레벨링되어야 하며, 이는 ASO를 통하여 해결될 수 있다. SFA시 이렇게 수술계획을 고려해야 적절한 하악의 전방이동을 이룰 수 있다.

(2) 상기의 방법을 시행하지 않을 경우 다른 대체적 방법으로는 수술계획을 상하악 전치부가 서로 절단교합이 되며 동시에 후방에서는 교합접촉 없이 이개되게끔 수술적으로 계획한 다음, 수술 후에 하악전치부를 교정적으로 함입시켜 하악골의 전상방회전을 야기시켜 후방 구치부교합의 접촉을 이루며, 동시에 턱끝의 전후방위치도 앞으로 나오게 되어 결과적으로 수술 후 안모의 더 나은 개선 효과를 누리게 할 수 있다.

그러나, 본 저자의 개인적인 판단과 경험으로는 이러한 2급수술환자에서 굳이 무리하여 SFA로 시술하기보다는 차라리 바로 다음에 소개할 MPO (Minimum Presurgical Orthodontics)로 시도하는 것이 보다 예측성 있는 치료방법이라 생각된다.

6) Transvere arch coordination에 대한 가이드라인(15)

: 전통적인 술전교정 후 수술방식(Surgery with CPO, Conventional Presurgical Orthodontics)에서는 상하악궁의 견치간, 구치부간 폭경은 악교정수술시 수술적 방법으로 해결하던가 혹은 술전교정 치료기간 중 해결을 하였다. 반면에 SFA에서는 수술시에 동시에 해소하거나 혹은 수술 후 교정치료로 해결해야 한다.

(1) 좌우 각각에서 만일 구치부 하나만큼의 폭경 차이 이상의 transverse discrepancy를 보인다면, 수술 시 상악의 3-piece Le Fort I Osteotomy로 해결할 수 있다.

(2) 구치부 한 폭경 이하의 transverse discrepancy를 보인다면, 이는 수술 후 교정치료에 의해 해결될 수 있다. 이는 수술 전 모델셋업시 상악 구치부 구개측 교두의 협측경사면과 하악구치부 협측교두의 설측 경사면 사이의 교합접촉이 되게 만들어 수술한다. 이후 이 과도한 협측 수평피개교합은 수술 후 교합력 혹은 수직 chin cap, 또는 0.032 인치 titanium로 구개측 폭을 줄일 수 있게 고안된 TPA를 사용하여 RAP의 원리를 이용하면 짧은 시간 안에 교정치료적으로 개선될 수 있다.

(3) 상악 악궁의 폭경이 좁은 경우 SARPE(Surgically Assisted Rapid Palatal Expansion)으로 치료될 수 있다.

7) 3D 테크놀로지를 사용한 최신 SFA의 경향(16)

최근의 3D 테크롤로지 기술의 발전으로 치아모형을 스캔하고, 3D 입체 CT를 이용하면 디지털 셋업이 가능해고, 컴퓨터를 이용한 가상 모의수술이 가능해져서 보다 정교한 SFA수술이 가능해 졌다. 정교한 진단과 치료계획이 가능해짐으로써 예측성이 강화된 수술결과를 얻을 수 있게 되었다.(16,17)

특히, Obstructive Sleep Apnea(OSA) 환자에 있어 SFA의 장점을 활용할 수 있게 된 것은 모두 이 3D디지털 기술의 발전 덕분이다. (17)

4. 수술 전 최소교정을 통한 선수술을 위한 교정치료 (MPO: Minimal Presurgical Orthodontics)

선수술 양악수술이 도입되어 환자의 외모를 먼저 개선하여 새로운 신기술로 각광받아 왔지만, 이러한 선수술 방법에 대한 수술 후 교합의 불안정성과 예측불가성에 대한 연구보고가 꾸준히 있어왔다. (19-21,22-25) 따라서 수술 후 교합의 불안정성을 최소화하고, 수술 후에 결과에 대한 예측성을 높일 수 있는 최소한의 술전교정에 대한 필요성이 꾸준히 제기되어왔다.(18,26,27) 따라서, 수술 전 최소교정치료법은 얼굴의 변화도 빨리 얻으면서 수술 도중에 교합간섭을 최소화하기 위한 수술 전 최소한도의 교정치료를 함으로써 surgery-first방법과 전통적인 선교정방법의 장점을 취하려는 목적으로 연구되었다. 이를 surgery-first치료법과 구분하기 위하여 MPO (Minimal Presurgical Orthodontics)라 명명하였다.[18]

사실상 MPO와 연관되어 가장 중요한 것 중 하나가 수술 후 웨이퍼사용기간에 관한 논란인데, 이는 수술 후 교합의 불안정성을 최소화해야 하기 때문이다. 연구에 의하면 MPO를 통한 경우 전형적인 선교정법(CPO, Conventional Presurgical Orthodontics)에 의한 경우보다 더 장기간 사용하는 것이 더 안정적인 교합과 수술 후 재발의 방지를 위해 필요하다고 제시한다.[20]

양악수술시 교정치료 방법으로 MPO를 사용하려는 교정치료 의사와 수술의사에게 MPO연구자들은 다음과 같은 사항을 권고한다. 반드시 최소한도의 수술 전 교정치료를 하여야 본래의 MPO를 통한 잇점을 충분히 누릴 수 있다고 한다. 따라서 수술하면서 예상되는 잠재적인 교합간섭을 없애는 것을 수술 전 최소교정치료의 우선적인 목적으로 삼아야 한다. 이러한 목적을 위해서, 예를 들어 구치부의 토크를 조절하거나 악궁간의 조화를 위해서 상악구치부의 정출된 구치부의 함입이 필요하다면 미니스크류나 미니플레이트를 사용하여 단기간에 효율적으로 해결할 수도 있다.[28,29] 한마디로 정의하면 수술시 교합간섭을 피하기 위해 꼭 필요한 술전교정치료가 MPO의 목적이라고 간단히 말할 수 있다.

따라서, MPO에 의한 치료결과는 Surgery-First Approach 보다는 수술 후 안전성에 대한 예측성이 더욱 우수하고, CPO보다 전체 치료기간이 훨씬 더 짧으면서도 치료결과에 있어서 거의 같은 결과를 보이므로 앞으로 MPO에 대한 좀 더 구체적인 적용범위에 대한 지속적인 연구를 할 필요가 있다. 현재로선 골격성 3급부정교합 환자에 있어서 가급적이면 MPO를 진행하도록 추천을 할 수 있다(그림 5-4).

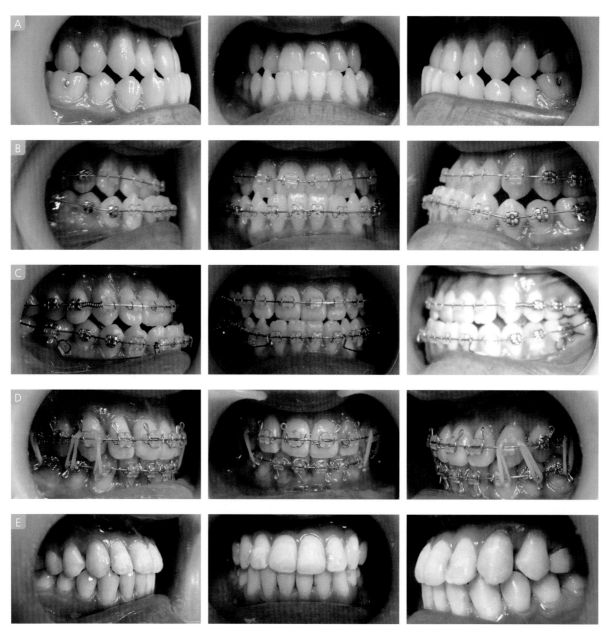

● 그림 5-4. **수술 전 최소교정치료법.**

양악수술 직후 교합이 불안정하지 않을 정도로 최소한의 기간동안만 수술전 교정치료를 진행한 후, 나머지는 수술후 교정치료로 마무리한다. 수술 후에는 RAP현상으로 인해 치아의 이동속도가 빨라지므로 잔여 crowding을 해소하거나 상하대합치간의 교합접촉을 이루기가 좀더 수월해진다. **A)** 교정 초진시 상태. **B)** 교정장치 장착 직후. **C)** 악교정수술을 위해 꼭 필요할 정도로만 최소한의 치열교정을 진행. **D)** 악교정수술후 3주후부터 악간고무줄을 사용하여 RAP활용성을 극대화. **E)** 교정치료 종료.

5. 성인 양악수술 후 교합안정성

성인 양악수술 후의 교합안정성은 수술 후 재발을 최소화하는 데 매우 중요한 사항으로 상하악간의 치아간의 최대감합(Maximum Intercuspal Occlusion)이 유지된다고 한다면 대부분의 문제는 수술 후 악골의 안정성과 관련이 있을 것이다. 따라서 이 장에서는 Centric Occlusion과 Centric Relation과 연관하여 기술하려는 게 아니라 각 수술법과 수술 후 안정성에 대한 주제로 기술하려 한다.

양악교정의 각 수술법, 혹은 수술 교정치료법 간의 수술 후 안정성과 연관하여 간략하게 일괄적으로 알아볼 수 있도록 정리하여 보았다.

1) BSSRO 와 IVRO간의 수술 후 안정성은 ?

각각의 수술법을 지지하는 수술의의 연구결과에 따라 의견이 조금씩은 다르겠지만 대체적으로 두 방법 다 3급골격성 환자의 양악수술 후 안정성에 있어서 우수하다는 결론이다.[30]

2) 수술 전 open bite의 존재 유무는 골격성 3급부정교합 환자에 대한 IVRO수술법의 수술 후 안정성 결과에 차이가 있을까?

수술 전의 open bite의 존재 유무와 상관없이 수술 후 안정성에 있어서 좋은 결과를 보여준다.[31]

3) BSSRO 수술법에 있어서 bicortical screw fixation방법과 miniplate fixation 중 수술 후 안정성 비교는?

Bicortical screw fixation방법이 miniplate fixation법보다 수술 후 골격적 안정성 면에서 아주 약간 우수하다는 연구결과가 있지만, 이는 그 차이가 통계적으로 그리 중요하지는 않다고 한다.[32]

4) BSSRO에서 CPO(Conventional Presurgical Orthodontics)와 SFA(Surgery First Approach)방법에 있어서 수술 후 안정성은?

2017년에 이루어진 비교논문을 보면 SFA에서 수술 후 하악의 반시계방향으로의 회전으로 인해 수직적, 수평적재발이 더 크게 나타난다고 보고했다.[33] 이는 아마도 SFA에서 수술 전 교합확립에 대해 좀 더 정교한 준비를 요함을 의미한다 하겠다.

5) SFA에서 수술로 하악을 후방이동시킨 후 자주 나타나는 하악골의 수직적인 재발은 SFA 교정치료와 연관이 있을까?

이는 아마도 SFA에 의해 빠른 시일 내에 수술결과를 얻을 수는 있지만, 수술 전 교합에 대한 충분한 준비가 부족한 상태에서 수술을 진행하므로 수술 후 하악의 위치와 교합에 대한 안정성에 대한 정확한 예측이 어려운 탓에 기인했을 것이다.[34]

6) 혹시 IVRO 법으로 하악후방이동을 동반한 양악수술을 시행했을 경우 전통적인 술전교정을 한 경우와 하지 않았을 경우에 수술 후 안정성은 차이가 있을까?

이러한 주제로 발표된 논문을 근거로 살펴보면 위의 두 가지 경우 중 어느 것이 수술 후 안정성 측면에서 비교 우위에 있다고 확실히 단정하기는 어렵지만, 이 두가지 방법에 의해 나타나는 수술 후 골격적, 교합적 변화양상은 서로 다른 것이 관찰되었다. IVRO SFA의 경우에서 하악의 수직적, 수평적 변화는 수술 시 하악의 후방이동량과 수직이동량과 선형적 상관관계를 나타내며, 수술 후 1년후 경과를 보면 IVRO SFA에서 좀더 수직적인 재발이동양상이 보인다.[35]

7) MPO로 골격성 3급 환자의 하악후퇴수술 시행 후의 재발이 있다면 어떠한 요소들이 연관되어 있을까?

CPO도 물론 경우에 따라서 여전히 이용되기는 하겠지만, 사실상 앞으로의 양악수술은 MPO 혹은 SFA를 통한 방법이 대부분일 것이다.

Choi 등은 골격성 3급부정교합자의 양악수술에서 MPO를 시행했을 경우의 수술 전, 수술 직후, 술후 교정치료 완료 후, 장치 제거 후의 변화 과정을 점검하면서 재발과 연관되어지는 요소들에 대해 발표한 바 있다.[36] 이 논문에서는 재발의 정도가 2 mm 이상인 경우를 고재발군으로 분류하고 1 mm 이하인 경우를 저재발군으로 분류했는데, 고재발군 환자들은 저재발군 환자들에 비해 이미 하악의 과발달이 더 심하고, 수직적 안면고경이 훨씬 더 길며, 양성인 수평피개교합을 보이는 특징을 가지고 있었다. 이들 고재발군 환자들의 양악수술 직후 결과를 보면 시계방향 회전을 통해 하악을 후방으로 이동시킨 양이 많았고, 수평피개교합은 증가시켰으며, 수직피개교합은 감소시켜 놓은 특징을 보였다.

그 이후 하악이 수직적으로 재발되는 양상을 보면 고재발군에서 수술 후 하악이 반시계방향으로 더 많이 회전하면서 더 많은 상방으로의 이동 변화를 보였다. 한편, 수평적 재발 양상은 수술 시 하악의 시계방향 회전량과 하악을 후방이동 시킨 양, 수평피개교합의 변화량과는 증가 방향으로, 수직피개교합의 변화량과는 감소 방향으로 연관이 있어 보이는 것으로 나타났다.

결론적으로 MPO 방식으로 교정치료를 하면서 하악의 후방이동 수술을 한 경우의 재발은 하악의 시계방향 회전량과 후방이동량이 많을수록, 수평피개교합량이 늘어날수록, 수직피개교합량이 줄어들수록 증가되었다고 보고하였다.

8) CPO와 MPO에 의해 수술로 하악의 후방이동을 시행하였을 경우의 재발 양상은 어떤가? [13]

이 경우 CPO에 비해 MPO의 재발 경우에서 하악의 반시계방향으로의 회전이동량과 하악의 전방으로의 이동량이 더 많은 것을 발견할 수 있다.[37]

이러한 재발의 양에서 보이는 차이는 수술 전 상태에서 CPO와 MPO 모두에서 차이가 없었을지라도 CPO와 MPO를 통한 수술 시 하악의 후방이동량이 MPO에서 더 많은 것과도 연관이 있다는 것을 알 수 있다.

9) 골격성 3급부정교합 환자에서 모두 MPO를 시행한다고 하면 하악만 단독으로 후방이동한 경우와 양악을 수술한 경우는 수술 후 안정성의 차이가 있을까?

Larson은 2017년 연구 논문에서 하악만 단독으로 후방이동시키나 상하악의 양악 수술을 하나 수평적, 수직적 안정성은 유사함을 보였다고 보고했다.[38] 그러나, 양악 수술의 경우 좀 더 짧은 수술시간과 교정 치료 기간이 소요되었다고 한다.

10) BSSRO로 골격성 3급부정교합 환자에서 하악만 단독으로 후방이동수술을 한 경우 CPO 와 SFA를 시행한 경우 수술 후 안정성은 차이를 보일까? [39]

이러한 질문에 대한 논문의 결론은 CPO에서 SFA경우보다 더 안정적이라는 보고[15]가 있으며, 따라서 이러한 경우의 수술을 계획할 때에는 수술 후 안정성에 대한 고려를 더 해야 한다.

11) 양악수술에서 CPO와 MPO에 의한 수술 후의 안정성에 차이는 있을까? [40]

이 질문이 중요한 이유는 양악수술과 그에 수반되는 교정치료를 할 때 만약 CPO 방식과 MPO 방식에 따른 안정성의 차이가 없다면 양악수술 치료과정을 시작하기 전 상담 단계에서 여러 선택지를 환자에게 줄 필요 없이 MPO를 권해도 무방할 수 있는 이론적 근거를 마련할 수 있기 때문이다.

실제 연구 결과는 MPO와 CPO 사이에서 수술 후 안정성의 차이가 없다고 밝히고 있으며, 그렇다면 전체 치료기간이 짧은 MPO 방식을 통해 정밀한 진단과 치료계획으로 자신 있게 치료를 진행하기를 추천하여도 무방하다고 할 수 있겠다.

12) 만일 골격성3급부정교합 환자에서 다른 조건은 모두 다 같고, BSSRO의 수술법 하에 하악만 단독으로 후방위치시킨 경우와 양악을 수술한 경우 수술 후 하악과두의 위치는 어느 경우가 더 안정적일까? [41]

하악 과두의 각도는 하악만 단독으로 후방위치시킨 경우 더 안정적이라는 연구결과가 있다.

참고문헌.

1. Proffit WR, White RP, Sarver DM. Combining surgery and orthognathics: Who does what, when? In: Proffit WR, White RP, and Sarver DM, eds. Contemporary Treatment of Dentofacial Deformity. 1st ed. St. Louis, Missouri: Mosby, 2003:245-67.

2. Jacobs JD, Sinclair PM. Principles of orthodonticmechanics in orthognathic surgery cases. Am J Orthod 1983:84:399-407.

3. Grubb J, Evans C: Orthodontic management of dentofacial skeletal deformities. Clin Plast Surg 34:403, 2007

4. Epker BN: Modifications in the sagittal osteotomy of the mandible. J Oral Surg 35:157, 1977

5. Chen YR, Yeow VK: Multiple-segment osteotomy in maxillofacial surgery. Plast Reconstr Surg 104:381, 1999

6. J Oral Maxillofac Surg. 2015 Jul;73(7):1360-71. doi: 10.1016/j.joms.2015.01.010. Epub 2015 Jan 22. Is There a Difference in Stability or Neurosensory Function Between Bilateral Sagittal Split Ramus Osteotomy and Intraoral Vertical Ramus Osteotomy for Mandibular Setback? Al-Moraissi EA, Ellis E 3rd.

7. J Oral Maxillofac Surg. 2016 Apr;74(4):804-10. doi: 10.1016/j.joms.2015.09.035. Epub 2015 Oct 14. Intraoral Vertical Ramus Osteotomy Results in Good Long-Term Mandibular Stability in Patients With Mandibular Prognathism and Anterior Open Bite. Choi SH1, Cha JY2, Park HS3, Hwang CJ4.

8. Int J Oral Maxillofac Surg. 2016 Jan;45(1):1-7. doi: 10.1016/j.ijom.2015.09.017. Epub 2015 Oct 21. Stability of bicortical screw versus plate fixation after mandibular setback with the bilateral sagittal split osteotomy: a systematic review and meta-analysis. Al-Moraissi EA1, Ellis E2.

9. A Surgery-first Approach in Surgical-orthodontic Treatment of Mandibular Prognathism – A Case Report Chung-Chih Yu, Po-Hsun Chen1, Eric J.W. Liou1, Chiung-Shing Huang1, Yu-Ray Chen, MD (Chang Gung Med J 2010:33:699-705)

10. Bailey LTJ, Proffit WR. Combined surgical and orthodontic treatment. In: Fields HW, ed. Contamporary Orthodontics. 3rd ed. Philadelphia: Mosby, 1999:674-709.

11. Frost HM. The biology of fracture healing. An overview for clinicians. Part I. Clin Orthop Relat Res 1989:248:283-93.

12. Frost HM. The biology of fracture healing. An overview for clinicians. Part II. Clin Orthop Relat Res 1989:248:294-309.

13. Wilcko WM, Wilcko T, Bouquot JE, Ferguson DJ. Rapid orthodontics with alveolar reshaping: two case reports of decrowding. Int J Periodontics Restorative Dent 2001:21:9-19.

14. Hajji SS. The Influence of Accelerated Osteogenic Response on Mandibular Crowding. St. Louis, Missouri: St. Louis University, Center for Advanced Dental Education, 2000:1-49.

15. Surgery-First Accelerated Orthognathic Surgery: Orthodontic Guidelines and Setup for Model Surgery Eric J. W. Liou, Po-Hsung Chen, Yu-Chih Wang, DDS, MS, Chung-Chih Yu, C.S. Huang, Yu-Ray Chen J Oral Maxillofac Surg 69:771-80, 2011

16. Current status of surgery-first approach (part III): the use of 3D technology and the implication in obstructive sleep apnea Junho Jung, Seung-Hwan Moon, and Yong-Dae Kwon Maxillofac Plast Reconstr Surg. 2020 Dec; 42(1): 1. Published online 2020 Jan 31. doi: 10.1186/s40902-020-0245-x

17. Surgery-first approach using a three-dimensional virtual setup and surgical simulation for skeletal Class III correction Joon Im, Sang Hoon Kang, Ji Yeon Lee, Moon Key Kim, Jung Hoon Kim [Korean J Orthod 2014;44(6):330-341] http://dx.doi.org/10.4041/kjod.2014.44.6.330

18. Evaluation of Minimal Versus Conventional Presurgical Orthodontics in Skeletal Class III Patients Treated With Two-Jaw Surgery Byungju Joh, DDS,* Mohamed Bayome, BDS, MMS, PhD,y Jae Hyun Park, Je Uk Park, Yoonji Kim,Yoon-Ah Kook J Oral Maxillofac Surg 71:1733-41, 2013

19. Hong KJ, Lee JG: 2 phase treatment without preoperative orthodontics in skeletal class III malocclusion. Korean J Oral Maxillofac Surg 25:48, 1999

20. Baek SH, AhnHW, Kwon YH, et al: Surgery-first approach in skeletal class III malocclusion treated with 2-jaw surgery: Evaluation of surgical movement and postoperative orthodontic treatment. J Craniofac Surg 21:332, 2010

21. Hernandez Alfaro F, Guijarro Martinez R, Molina Coral A, et al: "Surgery first" in bimaxillary orthognathic surgery. J Oral Maxillofac Surg 69:e201, 2011

22. Nagasaka H, Sugawara J, Kawamura H, et al: "Surgery first" skeletal Class III correction using the Skeletal Anchorage System. J Clin Orthod 43:97, 2009

23. Oh JY, Park JW, Baek SH: Surgery-first approach in class III openbite. J Craniofac Surg 23:e283, 2012

24. Park HS: The Alteration of Overbite and Overjet in Surgery First Orthognathics (master's thesis). Seoul, Korea: Catholic University of Korea, 2012

25. Villegas C, Uribe F, Sugawara J, et al: Expedited correction of significant dentofacial asymmetry using a "surgery first" approach. J Clin Orthod 44:97, 2010

26. Ko EW, Hsu SS, Hsieh H, et al: Comparison of progressive cephalometric changes and postsurgical stability of skeletal Class III correction with and without presurgical orthodontic treatment. J Oral Maxillofac Surg 69:1469, 2011

27. Wang Y, Ko EW, Huang C, et al: Comparison of transverse dimensional changes in surgical skeletal Class III patients with and without presurgical orthodontics. J Oral Maxillofac Surg 68: 1807, 2010

28. Park YC, Lee SY, Kim DH, et al: Intrusion of posterior teeth using mini-screw implants. Am J Orthod Dentofacial Orthop 123:690, 2003

29. Umemori M, Sugawara J, Mitani H, et al: Skeletal anchorage system for open-bite correction. Am J Orthod Dentofacial Orthop 115:166, 1999

30. J Oral Maxillofac Surg. 2015 Jul;73(7):1360-71. doi: 10.1016/j.joms.2015.01.010. Epub 2015 Jan 22. Is There a Difference in Stability or Neurosensory Function Between Bilateral Sagittal Split Ramus Osteotomy and Intraoral Vertical Ramus Osteotomy for Mandibular Setback? Al-Moraissi EA1, Ellis E 3rd2.

31. J Oral Maxillofac Surg. 2016 Apr;74(4):804-10. doi: 10.1016/j.joms.2015.09.035. Epub 2015 Oct 14. Intraoral Vertical Ramus Osteotomy Results in Good Long-Term Mandibular Stability in Patients With Mandibular Prognathism and Anterior Open Bite. Choi SH1, Cha JY2, Park HS3, Hwang CJ4.

32. int J Oral Maxillofac Surg. 2016 Jan;45(1):1-7. doi: 10.1016/j.ijom.2015.09.017. Epub 2015 Oct 21. Stability of bicortical screw versus plate fixation after mandibular setback with the bilateral sagittal split osteotomy: a systematic review and meta analysis. Al-Moraissi EA1, Ellis E2.

33. Comparative study of postoperative stability between conventional orthognathic surgery and a surgery-first orthognathic approach after bilateral sagittal split ramus osteotomy for skeletal class III correction. Deuk-Hyun Mah, Su-Gwan Kim, Ji-Su Oh, Jae-Seek You, Seo-Yun Jung, Won-Gi Kim, Kyung-Hwan Yu J Korean Assoc Oral Maxillofac Surg. 2017 Feb;43(1):23-28. doi: 10.5125/jkaoms.2017.43.1.23. Epub 2017 Feb 20.

34. Correlation between skeletal and dental changes after mandibular setback surgery-first orthodontic treatment. [Korean J Orthod 2015;45(2):59-65] Chang-Hoon Rhee Youn-Kyung Choi Yong-Il Kim,Seong-Sik Kim Soo-Byung Park Woo-Sung Son

35. J Oral Maxillofac Surg. 2016 Mar;74(3):610-9. doi: 10.1016/j.joms.2015.07.012. Epub 2015 Jul 26. Stability of Pre-Orth-

odontic Orthognathic Surgery Using Intraoral Vertical Ramus Osteotomy Versus Conventional Treatment. Choi SH1, Hwang CJ2, Baik HS3, Jung YS4, Lee KJ

36. Factors Related to Relapse After Mandibular Setback Surgery With Minimal Presurgical Orthodontics. Choi TH1, Kim SH2, Yun PY3, Kim YK4, Lee NK5 J Oral Maxillofac Surg. 2019 May;77(5):1072.e1-1072.e9. doi: 10.1016/j.joms.2018.12.030. Epub 2019 Jan 3.

37. J Oral Maxillofac Surg. 2013 Nov;71(11):1968.e1-1968.e11. doi: 10.1016/j.joms.2013.07.004. Epub 2013 Aug 26. Postsurgical stability after mandibular setback surgery with minimal orthodontic preparation following upper premolar extraction. Kim JW1, Lee NK, Yun PY, Moon SW, Kim YK.

38. Comparing Stability of Mandibular Setback Versus 2-Jaw Surgery in Class III Patients With Minimal Presurgical Orthodontics. Larson BE1, Lee NK2, Jang MJ3, Yun PY4, Kim JW5, Kim YK6. Journal of oral and maxillofacial surgery : official journal of the American Association of Oral and Maxillofacial Surgeons. , 2017, Vol.75(6), p.1240-48

39. J Oral Maxillofac Surg. 2014 Apr;72(4):779-87. doi: 10.1016/j.joms.2013.09.033. Epub 2013 Oct 2. Stability of mandibular setback surgery with and without presurgical orthodontics. Kim CS1, Lee SC2, Kyung HM3, Park HS3, Kwon TG4.

40. J Oral Maxillofac Surg. 2013 Oct;71(10):1733-41. doi: 10.1016/j.joms.2013.06.191. Epub 2013 Aug 8. Evaluation of minimal versus conventional presurgical orthodontics in skeletal class III patients treated with two-jaw surgery. Joh B1, Bayome M, Park JH, Park JU, Kim Y, Kook YA.

41. J Oral Maxillofac Surg. 2012 Sep;70(9):2143-52. doi: 10.1016/j.joms.2011.08.028. Epub 2011 Nov 23. Do patients treated with bimaxillary surgery have more stable condylar positions than those who have undergone single-jaw surgery? Kim YJ1, Oh KM, Hong JS, Lee JH, Kim HM, Reyes M, Cevidanes LH, Park YH.

CHAPTER

양악수술 환자의 안전관리, 마취 및 통증조절

Safety Management, Anesthesia, and Pain Control for Two-Jaw Surgery Patients

| 이명희 |

1. 안전관리

1) 양악수술 환자의 마취전 평가 및 수술 전 준비사항

(1) 마취전 평가

마취과의사는 수술 전 환자의 방문을 통하여 환자로부터 상세한 병력을 청취함과 동시에 환자와 익숙해지므로써 환자의 긴장감도 완화시키고 마취계획을 세우는데 중요한 정보를 채취할 뿐만 아니라 수술 후 환자 관리에도 많은 도움이 될 수 있다.

수술 전에 환자를 방문하여 면담을 통해서 아래와 같은 정보를 채취할 필요가 있다.

① 전신적인 건강 상태
    i. 운동허용능(exercise tolerance)
    ii. 체중 증가 또는 감소
    iii. 정신건강상태: 우울증 등
② 마취를 받은 경력 및 이상 유무
③ 현재 복용하고 있는 약물
④ 약물남용, 약물습관성 중독
⑤ 담배, 음주 유무
⑥ 월경력과 분만력 및 최근 abortion력

⑦ 각 장기의 상태와 기능 파악

    i.   순환계 : 협심증,고혈압,심잡음

    ii. 호흡계 : 기침, 천명(wheezing), asthma, tuberculosis

    iii. 중추신경계 : 간질(epilepsy), myasthenia gravis

    iv. 간 : 황달,간염

    v. 신장과 요로 : 혈뇨, 단백뇨

    vi. 위장관계 : 식도염, 소화성궤양

    vii. 근골격계 : 관절염

    viii. 내분비계 : 당뇨병, 부신피질질환, 갑상선질환

    ix. 혈액학적 문제 : 응고, 빈혈

    x. 안과 질환 : glaucoma(스테로이드를 피한다.)

    xi. 치과적 문제 : 치아동요, 교정장치, 악관절질환

    xii. 가족력 : 악성고열증

    xiii. 유전적질환 : hemophilia

(2) 신체검사(physical examination)

신체검사시 관찰하여야 할 항목

① 심폐음의 청진

② 혈압

③ 족배동맥맥박촉진 : 족배동맥은 노출이 쉬워서 관찰하기 편하다.

④ 정맥로 확보의 난이 여부

⑤ 구강 및 기도상태

(3) 기타 검사

병력 청취나 신체검사에서 이상이 있을 것으로 판단되는 경우에는 해당하는 이상에 대한 검사를 시행하여야 하며, 별다른 이상이 없는 경우에도 전신마취를 받기에 문제가 없는지 확인하기 위해 마취전 일반적인 검사들을 시행하도록 한다.

① 마취전 일반적인 검사

    i.   흉부X-ray

    ii. 심전도

    iii. 혈색소치, 헤마토크릿치, 혈소판수치

    iv. 혈액형

    v. 일반화학검사

ⓐ 단백질,알부민

ⓑ SGOT, SGPT, Bilirubin

ⓒ 전해질(K, Na, Cl, Ca)

ⓓ BUN

ⓔ 혈당

vi. 요검사

vii. 응고검사 (BT, PT, APTT)

② 마취전 특수검사

i. 심장초음파검사 :

심전도에 부정맥이 뜨고 가끔 답답한 증상도 있으면 심장초음파검사를 진행하여 심장에 무슨 문제가 없는지를 확인한다. 단, 최근 특별히 힘들었거나 밤을 샜거나 하면 적당하게 환자 상태를 파악하고 심전도를 다시 한번 시행하여 확인할 필요가 있다. 필자는 많은 경우에 재검사를 실시하여 심전도가 정상으로 돌아오는 경우를 경험해왔다. 이런 경우에는 심장초음파검사를 다시 할 필요가 없다.

ii. 당뇨병검사 :

공복에 혈당이 높게 나왔을 때 경구당부하검사를 통한 식후 2시간 혈장 혈당이 200 mg/dl 이상인지 당화혈색소가 6.5% 이상인지 보고 당뇨 유무를 확인한다. 공복의 혈당치, 경구당부하검사를 통한 2시간 혈장 혈당치, 당화혈색소 이 3가지가 다 정상치보다 높으면 당뇨병환자로 준비한다.

2) 양악수술 환자의 마취시 안전점검

(1) 전신마취기 점검

① 마취기를 켜고 감압 후 압력이 적정한 수치에 도달했는지 확인한다.

② 유량계 속의 부표가 한 가운데로 올라가서 돌고 있는지 확인한다.

③ 기화기 속에 들어있는 흡입마취제량이 적정량으로 들어있는지(너무 적거나 최대눈금을 초과했는지) 확인한다.

④ 탄산가스 흡수장치가 제대로 장착이 되었는지 소다 라임이 흡수기능을 할 수 있는지 확인한다.

⑤ 호흡회로가 새지 않는지 점검한다.

⑥ 마스크 크기가 적절한지 확인한다.

⑦ 자발호흡을 시킬 때 일방통행밸브(흡기 밸브와 배기 밸브)가 제대로 작동하는지 확인한다.

⑧ ventilator가 제대로 작동하는지 점검한다.

⑨ 경보음이 크기가 얼마나 큰지 제대로 설정이 되었는지 점검한다.

⑩ 각종 감시장치 : SPO₂, NIBP ,AIBP, 심전도 등을 점검 또는 setting한다.

⑪ Video laryngoscope을 사용할 경우에는 배터리가 충분한지 시야가 선명한지 후두경의 날의 크기는 적당한지 점검한다.

⑫ 보통 후두경일 경우에는 불은 충분히 밝은지 후두경의 날의 크기는 적당한지 점검한다.

⑬ 기도 유지기와 Magill forcep을 준비한다.

⑭ 경비 기관삽관용 튜브는 크기별로 여자는 6.0, 6.5, 7.0 크기로 준비해두고 남자는 6.0, 6.5, 7.0, 7.5 크기로 준비한다.

⑮ 튜브의 기낭이 새지 않는지 튜브의 내부는 막혀 있지 않은지 확인한다.

(2) 양악수술 환자의 수술중 감시장치

① 비침습적 자동혈압감시장치 : 모든 환자에 실시한다.

② 침습적 혈압감시장치 : 관찰이 쉽고 관리가 편리한 족배동맥을 위주로 사용한다.

③ 저회로내압과 고회로내압 경보장치 : 저회로내압 경보음이 울리면 기계환기 할 때 회로가 분리되었는지 초기에 발견하고 처리할 수 있다. 고회로내압 경보음이 울리면 튜브가 부분 폐쇄 또는 폐쇄되었는지 확인하고 제때에 해결한다.

④ 호기말이산화탄소농도 측정기 : 식도내 삽관을 배제할 수 있고 호기말 이산화탄소분압을 적정하게 유지함으로 적절한 환기를 할수 있고 마취기 고장도 제때에 발견하고 처리 할수 있다. Tidal volume과 호흡회수를 적당하게 조절할 수 있고 발관하는데 지표로 삼을 수도 있다.

⑤ 요량 측정 : Foley catheter 을 삽입한다.

⑥ 산소포화도 측정 : 맥박산소계측법으로 지속적인 SaO2를 측정하여 저산소혈증을 예방한다.

⑦ 체온감시 : 마취 전과 마취 후 체온을 측정하여 저체온이나 고체온을 제때에 예방 또는 처리한다.

3) 양악수술 환자의 수액과 수혈요법

(1) 영양필요량

① 수액필요량 : 성인은 매일 2000-3000 ml, 매 칼로리당 1 ml의 물이 필요하다. 양악수술시 다량 출혈이 없으면 주로 손실량만 보충한다.

② 수액 보충량=500 ml+소변량+기타손실량

③ 정질액(crystalloid) : Lactated Ringer's solution 500 ml, Electroyte solution 500 ml을 routine 으로 준다. 수술중 CBC에 근거하여 출혈량을 계산해서 적정한 양의 수액을 더 줄 수도 있다.

④ 전해질필요량

Na⁺ : 1-1.4 mEq/kg/day

K⁺ : 0.7-0.9 mEq/kg/day

Cl : 0.1 mEq/kg/day

수술 전과 수술 후 정상치를 유지하면 된다.

⑤ 열량

필요한 열량은 25-30 kcal/kg/day이며, 체온이 1℃ 증가할 때마다 1.7% 열량이 소모된다. 수술 후 수요량은 증가하므로 더 보충해주어야 한다.

⑥ 단백질

수술을 받게 되면 음성질소균형이 일어나므로 단백질 보충이 필요하다.

(2) 수혈 요법

수혈의 목적은 다음과 같다.

① 정상혈액량 유지

② 각 장기와 기관에 산소운반능력 유지

③ 정상적인 혈액응고기능 유지

정상인에서는 전체 혈액량의 10%가 소실되거나 산소운반 능력이 20% 감소되거나 혈액응고요소가 40% 소실되더라도 인체의 각 장기와 기관의 기능적인 장애를 초래하지 않는다.

수술 전 헤모글로빈이 정상치이면 수술중 CBC검사를 실시하여 수술 전 헤모글로빈 수치에 근거하여 수술중 출혈량을 계산하여 그 결과에 따라 PRBC 200 ml-400 ml를 보충한다.

수혈의 기본원칙은 출혈량에 근거하여 수혈하는 것이며 적혈구의 손실량에 따라 결정된다. 흡인기 구안의 혈액량, 혈액에 푹 젖은 거즈 무게, 수술시야 등을 보고 출혈량을 짐작한다. 짐작한 허용 실혈량(EABL)은 다음과 같이 계산할 수 있다.

EABL=[(Hct수술전--Hct허용치)×BV]/[(Hct수술 전+Hct허용치)/2]

BV: blood volume(총 혈액량)

성인의 혈액량은 몸무게의 약 7%정도이다. 이대로 계산한다면 몸무게가 정상적인 성인남자에서 혈액량은 약 70 ml/kg, 몸무게가 정상인 성인여성은 약 65 ml/kg 이다.

수혈량은 대략 다음과 같이 계산할 수 있다.

수혈량=[(Hct목표치−Hct현재수치) ×BV]/Hct수혈한 혈액

1unit PRBC의 Hct는 약 70% 이다. 1unit PRBC 는 보통 Hct 를 2%-3% 증가시킬 수 있다.

이외에도 수요에 따라 필요하면 FFP(신선냉동혈장), Cryoprecipitate(저온 침전물), Platelets(혈소판)을 줄 수도 있다.

2. 마취 술기

1) 마취 유도

마취유도제로는 Ramosetron, Midazolam, Propofol, Sulfentanil, Atracurium을 쓴다.
Induction:
Ramosetron: 0.3 mg iv
Midazolam: 0.1 mg/kg iv
Propofol: 2 mg/kg iv
Sulfentanil: 0.5 ug/kg iv
Atracurium: 0.3 mg/kg iv

2) 경비기관내삽관

경비기관내삽관은 집도의가 조작이 편하게 왼쪽 콧구멍으로 한다. 안면 X-ray상 비중격이 왼쪽으로 심하게 기울여졌다면 오른쪽 콧구멍을 선택한다.

Video laryngoscope을 사용할 경우에는 시야가 좋아서 Magill forcep을 쓰지 않고도 기관내 삽관이 가능하다. 보통 후두경을 사용할 시에는 Magill forcep으로 구인두에 위치한 튜브 끝을 잡아서 성문공에 집어넣는데 되도록 튜브 커프를 잡지 말아야 한다. 커프가 파손되면 삽관 후 튜브가 샐 수 있다.

튜브를 정확한 위치에 넣은 후 튜브가 들어간 쪽에서 columella nasi를 한바늘 떠서 튜브 들어간 쪽으로 다시 나온다. 실이 columella nasi를 장시간 압박손상을 하지 못하게 작은 부직포를 적당히 말아서 columella nasi 양측에 받쳐주고 매듭 짓고 그 실로 튜브를 빠지지 않게 잘 고정시킨다.

3) 마취 유지

마취를 유지하는 데는 Propofol, Remifentanil, Dexmedetomidine, Sevoflurane을 위주로 쓴다. Remifentanil 0.07 ug/kg/min, propofol 26 ug/kg/min, Dexmedetomidine 0.05 ug/kg/min 속도로 continuous하게 주고 sevoflurane 1-1.5-2.0% 로 유지한다. Urapidil 100mg+NS를 mix하여 50 ml 주사액으로 만들고, 6 mg/min부터 시작하여 목표혈압 도달 상황에 따라 10-30 mg/h로 유지한다.

4) 마취 각성

수술 종료 두시간 전에 Dexmedetomidine을 stop 하고 한시간 전에 Sevoflurane을 끈다. 수술이 끝나면 자가호흡을 회복시키되 드레싱이 끝나기 전에 깨우지는 않는다. 수술이 완전히 끝난 후 콧구멍을 통해 Long intestinal 튜브를 위까지 삽입하여 위 안의 공기를 빼주고 Long intestinal 튜브를 밖으로 빼면서 인후두의 분비물을 깨끗이 흡입한 뒤 환자를 조심해서 부드럽게 깨운다. 의식이 회복되고 자가호흡이 충분하게 회복되면 구강내 분비물을 다시 한번 잘 흡인하고 기관지 튜브의 기낭을 풀고 몇회 양압호흡을 시킨후 기관지 튜브의 기낭을 풀고 튜브를 제거한다. 발관후 일정한 시간 환자의 호흡과 활력징후를 잘 관찰한다.

3. 양악수술 환자의 유도저혈압마취

1) 유도저혈압마취란

전신마취 하에 수술중 약물이나 기타 기술적인 방법을 통해 저혈압을 유도하여 마취하는 방법을 말한다. 일반적으로 수축기 혈압을 80-90 mmHg로 감소시키거나 평균 동맥압을 50-65 mmHg로 감소시킨다. 양악수술을 진행할 때 중요한 장기의 허혈로 인한 손상을 피하는 전제 하에서 출혈을 최대한 감소시킴으로써 불필요한 수혈을 줄이거나 수술 부위의 시야를 개선할 수 있다. 유도 저혈압마취를 시행할 때 뇌, 심장, 신장, 간, 폐 등 장기 보호에 각별히 주의를 해야 한다.

2) 유도저혈압이 각 장기에 미치는 영향

유도저혈압(induced hypotension)은 심박출량 또는 전신혈관저항을 감소시켜 혈압을 하강시킨다. 일반적으로 심박출량은 조직의 적절한 혈류량을 유지하여 조직에 산소나 에너지원을 충분히 공급하고 조직손상을 방지한다. 혈압을 너무 낮추면 조직으로 가는 혈류량의 감소로 관류압(perfusion pressure)이 감소하여 저산소증과 장기기능저하를 일으킬 수 있다. 유도저혈압이 각 장기에 미치는 영향은 다음과 같다.

(1) 뇌

뇌무게는 체중의 2%를 차지하지만 뇌혈류량은 심박출량의 15%를 차지한다. 안정 상태에서 뇌산소소모량은 전신산소소모량의 20%를 차지한다. 정상적 상태에서 일정한 혈압범위 내에서 뇌혈관은 혈압변화에 따라 수축하거나 이완하면서 혈류량을 상대적으로 안정하게 유지한다. 즉 뇌혈류는 평균동맥압 60-150 mmHg 사이에서 일정하게 유지되는 자동조절능력을 갖고 있다. 유도 저혈압으로 인한 뇌허혈(ischemia)을 방지하려면 뇌혈류를 잘 유지시켜야 한다. 유도 저혈압의 안전최저평균동맥압은 50-55 mmHg 정도이다. 유도 저혈압마취시 환자의 기초혈압의 30% 이하로 낮추지 않는 것이 바람직하다. 저혈압 마취시 뇌혈류가 부족하면 뇌허혈로 인한 뇌손상이 올 수 있다.

(2) 심장

관상동맥혈류량은 관상동맥기시부의 혈압(대동맥압)과 우심방 혈압차 및 혈액이 관상동맥을 통과하는 저항력에 의해 결정된다. 동맥혈압이 높아지면 심근으로 가는 혈류량도 많아지고 반대로 동맥혈압이 너무 떨어지면 심근이 허혈로 인한 손상을 입을 수 있고 빈맥으로 인하여 심장확장기가 짧아지며 관상동맥혈류량이 감소한다. 유도 저혈압마취시 심근 허혈이 발생 가능성이 높다. 단 심장의 전부하와 후부하가 감소하여 산소요구량이 적어지기에 저혈압때문에 관상동맥 혈류량의 감소로 인한 심근 허혈을 증가시키지 않는다.

(3) 신장

생리적 상태에서 신장도 자동조절능력이 있기 때문에 신동맥관류압(체내평균동맥압)이 주요하게 수축압에 민감하다. 수축압이 80-180 mmHg 범위 내에서 신장혈류는 일정하게 유지될 수 있다. 수축압이 70 mmHg 이하로 떨어지면 신소구여과율이 유지될 수 없기에 신장기능이 떨어질 수 있다. 저혈압 마취시 혈관확장제를 사용하면 신장혈관이 확장되어 낮은 수축압이라도 신장허혈로 인한 신장손상이 오지 않을 수 있지만 저혈압 마취시 적어도 요량은 시간당 50 ml 이상을 유지해야 한다.

(4) 간

간 문맥정맥은 혈압의 변화에 따른 자동조절 기능이 없으며 간동맥은 그 자동조절 기능이 제한되어 있기에 유도저혈압시에 간으로 가는 혈류관류부족과 간세포의 산소 결핍으로 간세포의 괴사를 일으킬 수 있다. 유도저혈압마취 전에는 간기능이 정상인지 확인하고 수술 후에는 간기능이 손상되지 않았는지 검사해야 한다.

(5) 폐 및 기타 장기

유도저혈압이 폐기능에 미치는 영향에 대해서는 여러 관점이 있다. 어떤 사람은 유도저혈압이 폐의 생리적 사강을 증가한다고 하고 어떤 사람은 증가하지 않는다고 한다.

위장도 혈관의 자동조절능력은 신장이나 뇌보다 약하다.

동맥혈압이 내려가면 안압도 하강한다. 저혈압으로 인한 혈액공급부족으로 시력이 감퇴되거나 드물게 망막동맥혈전증으로 실명할 수도 있다.

유도저혈압시 피부와 근육도 혈류량감소로 조직내 산소분압이 떨어지지만 피부나 근육의 허혈로 인한 괴사는 오지 않는다.

3) 유도저혈압의 기술적 방법

(1) Sevoflurane

혈액용해도가 낮아서 혈압조절이 용이하고 부작용도 적다.

(2) α 수용체 차단제 (α adrenergic receptor blocker): Urapidil hydrochloride

중추성 혈압하강작용이 있다. 혈관저항을 감소시켜 저혈압을 유도할 수 있다. 반사성 빈맥을 일으키지 않으며 심박출량에 영향을 주지 않거나 조금 증가시키고 신장과 비장의 혈류를 증가시킨다. 심장의 전후부하를 감소시켜 심박출량을 개선하고 신장혈관저항을 감소시킨다.

사용법: Urapidil hydrochloride 100mg+NS 50 ml을 mix하여 50 ml 주사액으로 만든다. 6 mg (부피로는 3 ml에 해당)으로 시작하여 목표 혈압에 도달하기까지 매번 4 mg씩 15-30분에 한번씩 조절한다. 경험상 대개는 30 mg/h로 유지하면 원하는 혈압에 도달하게 된다. 참고로 약물반감기는 약 35분이다.

4. 양악수술 환자의 통증 조절

통증은 환자로 하여금 순환, 호흡, 내분비 등 계통의 변화를 가져오며 심리적 압력과 정서의 변화를 가져다 준다. 양악수술환자는 질병을 갖고 있는 환자가 아니기에 되도록이면 술후 신체적으로 편안한 느낌을 받을 수 있도록 routine 으로 IV-PCA(Intravenous patient controlled analgesia)를 투여한다. 단 환자가 PCA를 거부하는 경우는 예외이다. 아직까지는 양악수술환자가 IV-PCA를 거절하는 경우는 보지 못했다. 아편유사제는 보통 sulfentanil 을 쓴다. 진정제로는 Dexmedetomidine을 쓴다. 항구토제로는 Ramosetron을 쓴다. Sulfentanil은 1ug/ml, Dexmedetomidine은 4 ug/ml으로 희석한다. 구체적 방법: Sulfentanil 100ug, Dexmedetomidine 400 ug, Ramosetron 0.3 mg 으로 NS용액까지 합하여 100 ml로 만든다. PCA는 수술을 마무리하고 드레싱 할 때부터 2-3 ml/h로 시작하여 투여한다. Bolus 2-3 ml으로 폐쇄간격을 15min으로 설정한다. IV-PCA를 투여 받은 다수 환자들은 술후 당일 특별히 불편한 점을 호소하지는 않았다.

📑 참고문헌

1. 서울대학교병원 :마취과 전공의진료편람,1993,pp 397-8;575-6
2. 대한마취과학회 :마취통증의학 서울,여문각,2003,pp 201-13;424-9
3. William E. Hurford, Michael T.Bailin, J.Kenneth Davison, Kenneth L. Haspel, Carl Rosow, Susan A.Vassallo:Clinical anesthesia procedures of the Massachusetts General hospital:2002,pp1; 543-4;561;

CHAPTER

미용양악수술의 수술기법

Surgical Techniques of Aesthetic Two-Jaw Surgery

| 박흥식, 변성수, 최영달, 석윤 |

1. 상악수술 (Maxillary Orthognathic Surgery)

1) 르포 I 뼈자름술(Le Fort I Osteotomy)

르포 I 뼈자름술은 상악변형을 교정할 때 가장 보편적으로 시행하는 방법으로, 양악돌출이나, 상악의 수직과다일 때, 개방교합을 개선하기 위해서 상악을 위로 올릴 때, 구개열이나 외상 후 환자에서 상악을 전진할 때, 하악수술과 같이 개방교합을 개선하고자 할 때, 기울기를 교정할 때, Class III 환자에서 상악을 전진할 때, 폐쇄수면무호흡증후군(obstructive sleep apnea syndrome)등의 적응증이 있다.

(1) 역사

1895년에 코인두(nasopharyngeal) 폴립을 제거하기 위해 상악절골이 처음 시행되었고 턱교정수술을 위한 르포 I 뼈자름술은 1927년에 소개되었다. 하지만 혈류 손상을 피하기 위해 상악 전체를 이동시키기 보다는 부분적 절골이 주로 사용되었다. 초창기에는 상악 전체를 충분히 이동시키지 못해 생기는 긴장 때문에 재발율이 높았다. 1960년대에 들어 조직의 당김 없이 상악을 재배치하기 위해 골편을 완전하게 가동시키고 날개판(pterygoid plate)과 위턱뼈융기(maxillary tuberosity)사이에 뼈이식을 하는 수술기법은 이후 르포 I 뼈자름술의 초석이 되었다. 르포 I 뼈자름술은 유용하게 사용될 수 있는 수술법임에도 불구하고 출혈의 위험때문에 저혈압 마취 등 안전하고 개선된 마취기법이 나오기까지는 대중화되지 못하였다.

Bell은 르포 I 뼈자름술에서 상악을 아래쪽으로 골절(down-fracture)할 때 내림입천장동맥(descending palatine artery)이 양측 모두 잘려도 상악으로 가는 혈류 공급이 적절히 유지된다는 연구결과를 보고하였다(그림 7-1). 이 연구에서 상악에 입천장점막, 입술쪽 잇몸, 입술점막의 뿌리가 연결되어 있는 한 적절한 혈행공급이 유지되어 상악을 아래쪽으로 절골하고 완전하게 가동하는 것이 가능하다는 것을 입증하여 수술자가 전체 상악 절골을 큰 걱정 없이 할 수 있게 하였다.

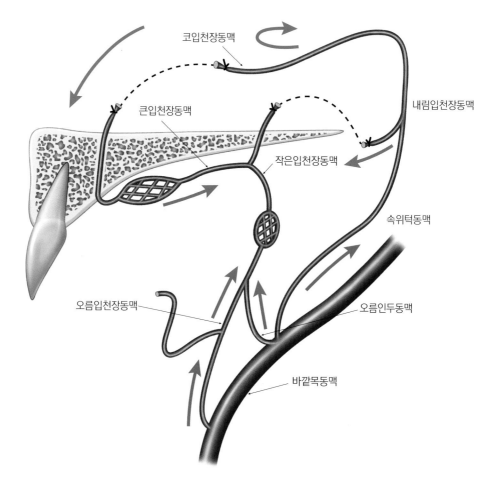

• 그림 7-1. **르포 I 뼈자름술 후 상악의 혈류공급**

작은입천장동맥(lesser palatine artery), 오름인두동맥(ascending pharyngeal artery), 오름입천장동맥(ascending palatine artery)이 큰입천장동맥(greater palatine artery)과 연결되어 코입천장동맥(nasopalatine artery)와 내림입천장동맥(descending palatine artery)이 잘려도 가동된(mobilized) 상악에 혈류공급이 유지된다.

(2) 수술기법

환자 자세는 바로 누운 자세에서 머리쪽을 10-15° 올리고 어깨 밑에 받침 롤(roll)을 넣어 머리자세를 가능한 뉴트럴 포지션으로 유지한다. 머리뼈에 대한 상악의 움직임을 측정하기 위해 수술 시작 전에 외부 얼굴 기준점을 확립하는 것이 중요하다. 코뿌리점이나 안쪽 안검열(medial palpebral fissure)을 수술 시야에 포함시키고, 안쪽 안검열 사이에 잉크로 표식을 하거나 코 뿌리점에 K 강선으로 표시한다. 확립된 외부 얼굴 기준점에서 치아나 브라켓 장치까지의 거리를 측정하고 기록한다. 코기관내 삽관을 하여 교합을 쉽게 확인할 수 있도록 하고, 튜브는 2.0 실크 봉합사로 중격의 막구조물에 단단하게 고정하여 수술 중에 튜브가 너무 움직이는 것을 예방한다.

수술시 출혈을 줄이기 위해 국소 마취제(1% 리도카인과 1:100,000 에피네프린)를 입술고랑을 따라 점막골막에 주입한다. 구강전정 부위를 따라 잇몸과 점막 경계부위 2-3 mm위에서 상악의 제1 큰어금니부터 다른 쪽 제1 큰어금니까지 이어지는 가로절개를 한다. 활짝 웃을 때 수술흉터가 보이지 않도록 절개선은 환자의 스마일라인보다 높게 한다. 절개할 때 생기는 출혈 근원은 대개 후상치조동맥으로 출혈이 되면 박리 후 소작해야 한다.

점막, 근육 그리고 골막까지 절개한 후 골막분리기로 골막하 박리를 한다. 앞쪽으로 조롱박 가장자리와 조롱박 구멍 위쪽까지 노출시키고 비강의 외벽으로부터 골막분리기를 안쪽 아랫쪽 방향으로 향하면서 점막을 박리하여 포켓을 만들고, 조롱박 구멍 뒤쪽으로 15-20 mm 정도까지 비강 바닥점막을 박리한다. 이때 비강점막이 찢어지지 않도록 조심하면서 충분히 박리한다. 비강 바닥과 비중격 연결 부위 점막이 찢어지지 않게 조심하면서 비중격쪽으로 박리한다.

위쪽가쪽(superior lateral)으로 박리하여 안와하공과 눈확아래신경을 확인하면서 손상 받지 않도록 주의한다. 가쪽뒤쪽(lateral posterior)으로 박리하여 관골상악뼈봉합선(zygomaticomaxillary suture), 버팀벽(buttress), 날개위턱틈새(pterygomaxillary fissure)를 노출시키고 그 앞쪽에 역곡선견인기(reverse curved retractor)를 넣어 수술 시야를 확보한다.

볼지방덩이(buccal fat pad)가 수술부위로 빠져나오지 않도록 절개의 가쪽 뒤쪽으로 골막하 박리를 조심스럽게 한다. 소독된 연필이나 고속 버(high speed bur)를 이용하여 계획된 절골선과 송곳니와 제1 큰어금니의 끝의 내부 기준점에서 절골선 위 아래에 표시를 하고 그 사이 거리를 측정한다. 특히 상악을 수평과 수직방향으로 모두 이동하는 경우에는 외부 기준점을 이용하여 측정하는 것이 좀더 정확하게 거리를 측정할 수 있는 것으로 알려져 있다. 치아 뿌리 손상을 피하기위해 치아뿌리가 가장 긴 상악의 송곳니를 기준으로 삼아 절골선을 디자인한다.

모든 기준점을 표시한 후 레시프로케이팅 톱(reciprocating saw)이나 마이크로 새지탈 톱(micro sagittal saw)을 이용해 상악 가쪽벽에 교합면과 평행이 되도록 가로절골을 한다. 치아 손상을 피하기 위해 치아뿌리 끝보다 5 mm 위에서 가로절골을 한다. 르포 I 뼈자름술에서 톱이 가쪽 비벽에 가로절골할때 골막분리기를 넣어 내측 점막을 보호하는 것에 주의를 기울이고, 내림입천장동맥이 손상되지 않도록 조롱박 가장자리로부터 20 mm 보다 더 뒤로 진행하지 않도록 주의해야 한다. 조롱박 가장자리로부터 내림입천장관

까지 상악동 안쪽에서의 평균길이는 약 34 mm이다

코눈물관은 상악동과 비강 사이의 아래코길(inferior nasal meatus) 내에 있는 아래비갑개 밑에서 끝나고, 조롱박 구멍으로부터 10-14 mm 후방에, 코바닥으로부터 10-21 mm 상방에 위치한다. 가로절골이 눈확아래구멍 바로 밑에서 시작하여 아래비갑개 앞쪽 부착 부위 높이의 조롱박 구멍까지 연결된다면 코눈물관 손상을 피할 수 있다. 흔치 않지만 르포 I 뼈자름술로 상악을 위쪽으로 재위치시킬 때 코눈물관 손상이 생길 수도 있으므로 주의한다. 상악을 위쪽으로 이동시키는 경우에는 첫번째 가로절골 후 이동시키는 양만큼 두번째 가로절골을 하여 중간의 뼈 띠를 제거한다. 제거한 뼈 띠는 추후 뼈이식에 사용하기 위해 멸균식염수에 보관한다.

비중격 절골은 수술자의 집게 손가락을 입안 경구개 밑 쪽에 놓고 U 자형 골절단기의 끝을 느끼면서 앞코가시(anterior nasal spine) 바로 위에서부터 뒤쪽, 아랫쪽 방향으로 앞코가시로부터 뒤로 25-30 mm 정도까지 한다.

르포 I 뼈자름술의 날개위턱분리(pterygomaxillary disjunction)는 얇은 약간 굽은 골절단기를 망치질하여 분리한다. 이때 가장 흔하게 출혈될 수 있는 내림입천장동맥은 상악융기안쪽으로 10 mm이내에 있으므로 굽은 골절단기가 연부조직과 근육들이 허용하는 한 최대로 앞쪽, 안쪽 그리고 아랫쪽을 향하도록 하면서 상악을 날개위턱연결부위로부터 분리시킨다. 후상치조동맥 또한 출혈의 원인이 될 수 있다

르포 I 뼈자름술은 상악의 가쪽벽, 안쪽상악동, 비중격 그리고 날개위턱연결부위를 절골하는 것이고 순서는 수술자의 선호에 따라 바뀔 수 있다. 상악뼈 절개가 충분히 이루어 졌으면 적당한 손가락 힘으로 상악을 아래쪽으로 골절시키고, 코 점막에 손상이 가지 않도록 조심스럽게 코점막골막을 거상 시킨다. 이때 충분한 시야를 확보하고 골절된 상악 뒤쪽 부위의 골 절제를 시행하고 상악의 자유로운 움직임을 확보한다. 이때 내림입천장동맥이 입천장으로 들어가는 입구에서 롱져(rongeur)를 이용하여 입천장의 수직판을 조심스럽게 제거한다.

만약 아래쪽으로 골절시에 손가락의 적당한 힘으로 쉽게 되지 않으면 이전 절골들이 잘 되었는지 반드시 확인해야 한다. 너무 강한 힘으로 아래쪽으로 골절하면 알맞지 않은(unfavorable) 골절이 생겨 합병증을 유발시킬 수 있다.

술중 또는 술후에 출혈이 생기지 않도록 하기 위해 내림입천장동맥을 결찰하기도 한다. 상악을 위쪽으로 이동시킬 때 혈관다발을 유지하는 경우에는 혈관 주변의 날카로운 뼈가 혈관을 손상시키지 않도록 가장자리를 조심스럽게 제거한다. 상악융기부분이나 상악벽의 뒤쪽에 뼈가 걸리는 간섭부분을 확인되면 뼈갈개로 다듬어준다. 간섭부분 뼈를 제거한 후에 상악 골편이 원하는 방향으로 자유롭게 움직이는지 확인한다. 뼈 접촉이 제대로 이루어지지 않으면 부분적으로 안정성이 떨어지게 되므로 너무 많은 뼈를 제거

하지 않도록 주의한다.

움직임이 확보된 상악을 미리 제작된 중간 웨이퍼에 맞추고 악간고정을 한 뒤, 하악각 앞쪽에 손가락을 대고 위로 그리고 약간 앞으로 힘을 주면서 하악관절돌기를 관절돌기오목(condylar fossa)에 위치시켜 상하악복합체가 제자리를 잡게 한 후, 상악이 계획된 위치에 이동하였는지 확인한다. 외부 기준점을 이용한 거리 측정으로 상악이 계획된 곳에 잘 이동되었는지 확인할 수 있다.

르포 I 뼈자름술로 상악을 위로 올리는 경우 비중격연골이 구겨지지 않도록 비중격연골 아래쪽 부분을 충분히 제거하고 필요하면 아래비갑개 절제를 하기도 한다. 아래비갑개 절제의 경우 위축비염(atrophic rhinitis)이 생길 수 있다

상악을 포지셔닝시키고 티타늄(titanium) 또는 비탈리움(vitalium) 나사와 플레이트로 조랑박 가장자리 부위와 관골상악능선에 단단하게 고정한다. 이때 플레이트 윤곽을 정교하게 맞춰 나사로 고정하면서 골편이 이동하지 않도록 한다. 조랑박 가장자리 부위는 플레이트와 나사가 만져질 수 있으므로 1.5 mm나 2.0mm 플레이트 시스템보다 작은 것을 사용하는 것이 좋다. 상악골편 고정 후에 악간고정을 풀고 교합을 확인한다. 외부기준점에서 상악 중심선을 확인하고 하악전치부에 비교하여 상악전치부를 확인한다. 하악과두를 제대로 자리잡게한 후 새로운 교합을 확인하는 것이 매우 중요하다.

상악뼈 결손부위가 큰 경우에는 안정성 확보를 위해 상악 가쪽벽과 관골상악지지대 부위에 자가골 이식을 해야 한다. 자가골은 주로 하악골, 장골능선, 두개골에서 얻을 수 있다. 상악은 르포 I 뼈자름술로 전진이동, 후방이동, 상방이동, 하방이동, 횡방향이동을 시킬 수 있다. 수술 후 재발은 상악이 움직인 정도, 하방이동의 정도, 단단고정의 사용과 뼈이식 여부에 따라 영향을 받는다. 대개 하방과 횡방향 이동에 비해 전진, 후방이동, 상방이동은 안정적이라고 보고되고 있다. 상악을 하방으로 위치시킬 때 안정성을 높이기 위해 하이드록시아파타이트나 뼈이식을 사용하는 것이 권장되고 있다.

르포 I 뼈자름술 후 코 날개 바닥폭이 넓어지므로 앞코가시에 뚫은 드릴 구멍을 통해 2-0 봉합사로 양측 코근을 묶어 근육접치기(muscle cinch)를 한다. 절개선 아랫쪽으로는 약 1-2 mm 정도의 골막하박리를 한후 골막과 근육층을 먼저 봉합하고 점막은 윗입술의 중심을 피부갈고리로 당기면서 V-Y 형태로 봉합한다. 특별히 드레인 삽입은 필요하지 않다.

대개 분절이 없는 르포 I 상악 수술의 경우 악간고정을 하기보다는 교합을 유지하기 위해 고무줄을 걸어주는 정도로 한다.

(3) 르포 I 뼈자름술 후 합병증

르포 I 뼈자름술 후 합병증은 흔하지 않지만 엄청난 손상이 생길 수 있으므로, 혈류의 중요성과 그 부위 혈관의 해부학을 이해하고, 연부조직 피판을 조심스럽게 잘 조작하는 것이 중요하다.

① 출혈

술중 또는 술후 출혈은 드물지만 목숨이 위태로울 수도 있다. 대부분의 수술자는 술중 출혈양을 줄이고 좀더 나은 수술시야를 확보하기 위해 저혈압마취를 이용한다. 가장 흔한 혈관 손상은 날개근정맥얼기(pterygoid plexus of vein) 손상으로 많은 양의 출혈을 유발하지만 상처 메우기 정도로 쉽게 콘트롤 할 수 있다. 내림입천장 동맥손상은 가장 흔한 동맥 손상으로 짧은 시간에 많은 양이 출혈된다. 상악을 절골하고 아래로 골절 시킬 때 가장 쉽게 손상받는 동맥은 속상악동맥(internal maxillary artery)과 그 분지들이다. 동맥 출혈 시에는 혈압 조절, 수술 시야 확보, 압박과 메우기, 그리고 전기 소작이나 지혈 클립을 이용한다. 콘트롤이 되지 않는 동맥 출혈은 응급혈관조영술와 색전술을 하기도 하고 심지어는 바깥 목동맥을 결찰하기도 한다. 수술 후의 늦은 출혈의 가장 흔한 원인은 발견되지 않았던 내림입천장동맥의 손상 때문이다. 응급혈관조영술을 시행하고 필요하다면 상악으로 가는 혈액공급이 손상되지 않도록 조심스럽게 선택적 동맥색전술을 시행한다. 만약 적은 양의 어두운 색깔의 피가 간헐적으로 코에서 나오는 경우는 상악동에 고였던 피가 나오는 것이라고 환자에게 설명하고 안정시킨다.

② 혈관손상과 상악뼈괴사

상악뼈수술 후 가장 두려운 합병증은 무혈관 괴사로 상악분절이 동반되거나 많은 양을 전진하였을 때 그 위험이 커진다. 어떤 수술자들은 내림입천장 동맥을 결찰하는데, 동맥결찰이 잇몸의 관류에 큰 영향을 주는 것처럼 보이지는 않는다. 절개와 절골 그리고 아래쪽으로 골절뿐만 아니라 상악 위치를 옮길 때도 혈관손상이 생길 수 있다. 잇몸이 창백하거나 모세혈관이 다시 채워지는 현상이 없거나 점막이 벗겨지는 등 심각한 관류 장애의 징후가 수술 중에 보인다면, 수술을 중단하고 연부조직이 당겨지는 것을 완화시켜 조직의 허혈상태를 호전시키기 위해 상악을 원래 자리에 위치시키고, 조직의 색깔이나 혈류가 호전되는 것을 확인하고 견고하게 고정을 해야 한다. 수술 후에 심각한 관류장애가 보인다면 상악에 와이어로 고정된 스플린트를 제거하고, 경직고정을 제거하고, 상악을 술전 위치로 이동시키는 것이 필요하기도 하다. 입천장 띠를 가진 상악 스플린트는 입천장 점막의 혈액순환에 좋지 않은 영향을 줄 수 있으므로 제작과 착용에 주의해야한다.

무혈관괴사의 경우 이차감염을 막기 위해 생리식염수나 클로르헥시딘으로 상처 부위를 깨끗하게 씻어내고 항생제를 복용하는 것이 중요하다. 수술적으로 괴사조직제거와 고압산소요법을 병용해볼 수 있다. 무혈관괴사의 가장 좋은 치료법은 예방이고 이를 위해 연부조직줄기를 조심스럽게 다루어야 하는 것이 중요하다. 흡연이 무혈관괴사의 위험을 높이는 것을 명심해야 한다.

르포 I 뼈자름술시 내림입천장동맥을 보존할지 혈관을 묶을지에 대해서는 논란의 여지가 있다. 보존하는 경우 상악에 혈행공급을 최대한으로 할 수 있어 허혈은 줄지만, 눈에 띄지 않는 혈관손상이 있는 경우 수술 후 약해진 혈관에서 출혈이 생길 수 있다. 반면 혈관을 묶는 경우에는 주변에 이차적인 순환 덕분에 혈행공급에 미치는 영향은 미미하고 수술 후 출혈의 위험을 줄일 수 있다

Karmer et al 은 20년동안 1000개의 르포 I 뼈자름술 후 수혈이 필요했던 출혈은 1.1% 이었고, 조직이

과도하게 당겨지거나 너무 많은 양의 뼈 이동, 상악의 분절정도와 관련된 허혈 합병증은 1%의 환자에서 생겼다고 보고 했다.

그런 관계로 내림입천장동맥이 출혈이 없거나 상악을 움직이는데 방해가 되지 않으면 혈관을 보존하는 경향으로 조금씩 가고 있는 것 같다.

③ 재발과 이상위치(malpositioning)

턱뼈수술로 상악의 뒤쪽을 위로 올려 앞쪽 개방교합을 닫는 것이 하악을 시계반대방향으로 회전시키는 것보다 안정적이다. 하지만 단단고정(rigid fixation)을 적용하면서부터는 하악을 시계반대방향으로 회전시키는 것도 안정적이라고 최근 연구에서 보고되었다.

수술 직후 기간에 앞쪽 개방교합이 생기는 것은, 수술 중 상하악복합체를 포지셔닝시킬 때 하악각 앞부분에서 손가락을 대고 아래에서 위로 살짝 힘을 주어 하악과두가 제자리에 있을수 있도록 하는 것으로도 어느정도 예방할 수 있다. 수술 후 몇 주 또는 몇달 후에 생기거나 상하악간 고정을 풀고 나서 생기는 개방교합 대개의 경우는 상악 후방의 수평면이 무너져서 생긴다. 장기적인 안정성을 위해서는 상악을 충분히 가동시켜 긴장이 없는 상태에서 제위치에 내부 경직고정을 하는 것이 중요하다. 상악을 확장시키고 아래방향으로 이동시키는 것이 가장 불안정적이다.

재발이 없음에도 불구하고 수술 후 1년이 지나고도 상악 움직임이 지속되는 것이 보고되었다. 절골 틈 사이의 미세한 움직임 때문에 생길 수 있는데 무는 힘이 너무 세거나, 균등하지 않거나, 음식의 일관성이 없거나, 이를 너무 꽉 물고 있거나 또는 이갈이 하는 것과도 연관이 있다. 1년이 지나고도 움직임이 계속된다면 절골 틈 사이 섬유조직을 제거하고 플레이트 고정을 다시 하고 뼈이식을 한 후에 입안 위생을 잘 유지하고 금연과 적절한 영양공급 등으로 상처치유가 빨리 이루어지도록 한다.

④ 해면정맥굴루(cavernous sinus fistula)

르포 I 뼈자름술 후 합병증으로 해면정맥굴루도 보고되었다. 증상은 귀속에서 윙윙거리고, 눈 돌출(proptosis)과 결막부종이 있다. 갑자기 한쪽 얼굴이 붓거나, 수술 후 반복적으로 2주이상 지속되는 코피 등은 안쪽위턱동맥(internal maxillary artery)이나 그 거짓동맥류(pseudoaneurysm)를 의심할 수 있다.

⑤ 신경감각결손

신경이 잘리거나 심하게 눌리지 않아도 수술 후 1년째 약 6%에서 눈확아래신경 감각결손이 생긴다고 보고되었다. 상악, 치아, 윗입술, 잇몸 등의 감각저하가 올 수 있지만 이는 모두 수개월 내에 회복된다. 입천장의 감각회복은 상당히 더디고 완전하지는 않지만 입천장의 감각결손은 대개 잘 견디는 걸로 되어 있다.

⑥ 상악치아 뿌리손상이나 치주결손

르포 1 분절 뼈자름술에서 볼 수 있지만 주의 깊은 술전 교정준비와 수술기법으로 대부분 피할 수 있다.

⑦ 수술 후 코 변형

비중격의 연골부분이 휘어서 코끝이 휘게 된다. 수술시에 비중격과 상악 코가시와 입천장 뼈를 적절하게 다듬어주어야 한다. 비중격이 수술 후 회복기에 이동하는 것을 막기 위해 앞쪽 코가시에 단단하게 고정하기도 한다.

턱 교정 수술 후 미용적인 결과는 환자를 임상적으로 검사하고 뼈의 변화에 따른 연부조직의 변화를 예측할 수 있는 수술자의 능력과 관련이 있다. 머리뼈계측방사선촬영의 예측추적도(prediction tracing)만으로는 수술계획을 만들기 위한 필요한 정보가 제한적이다. 많은 수술자는 머리뼈계측방사선촬영 표준수치를 목표로만 환자를 치료하게 되면 치료결과가 만족스럽지 못할 수 있다는 것을 알고 있다. 그러므로 의도대로 교합면을 잘 조절할 수 있고 안모의 심미성을 높일 수 있는 수술자의 능력이 상악의 절골술 후 미용적인 결과에 가장 큰 영향을 미친다.

2) 르포 I 상악 분절뼈자름술 (Le Fort I Segmental Osteotomy)

(1) 역사

하악 분절절골술은 1849년 처음 기술되었지만 르포 I 분절 상악 뼈자름술은 1921년이 되어서야 소개되었다. Bell 이 재혈관화에 대한 연구에서 상악 전체가 가동되고 분절되어도 일시적인 허혈성 영향은 있지만 큰 문제가 없다고 보고한 이후, 여러 가지 상악분절 절골법들이 기술되었다. 최근 대부분의 상악분절절골술은 르포 I 아래쪽골절과 연관되어 시행되고 있다. 상악분절의 혈행 공급은 입안과 입천장의 점막골막과 치조내혈관을 통해서 이루어진다. 골내 혈관이 절골부위를 넘어 절골편 사이의 혈관연결로 재혈관화가 이루어지면서 상처 치유가 된다.

(2) 적응증

상악교합면에 높이 차이가 있는 것은 여러가지 부정교합에서 볼 수 있는데 특히 전방개방교합에서 많이 볼 수 있다. 물론 교정적으로 개선이 가능하지만 치아가 돌출된 경우 교정적으로만 개선하기에는 안정성 확보가 어렵다. 이때 치간절골을 이용한 수술적 레벨링은 가능하다.

상악궁의 높이차이 없이 전방개방교합이 있는 경우에 상악을 앞쪽 아래방향, 즉 시계방향으로 회전하면 전방개방교합은 닫을 수 있지만 그 결과 후방개방교합이 생기게 되므로 상악뼈를 분절하여 각 분절을 독립적으로 움직이는 것이 최선의 치료방법이다.

교합면에 가로상악결핍과 높이차이가 서로 동반되거나 독립적으로 있는 경우에도 상악분절수술을 고려해야 한다. 상악의 가로결핍이 적절히 개선되면 웃을 때 치아의 볼살쪽 표면 노출이 증가하여 용모가 미용적으로 개선되는 효과를 기대할 수 있다.

중등도 이상의 상악돌출을 가진 성인에게 작은 어금니를 4개 발치하고 교정치료를 받는 것만으로는 미용적인 면과 안정성 면에서 만족스럽지 못한 경우가 많다. 중등도 이상의 상악돌출에서 상악교합면의

높이차이 또는 상악 수직과다가 동반된 경우 첫번째 작은 어금니 부위 뼈절제술과 르포 I 분절 뼈자름술
로 안정적으로 기능적, 미용적 개선 효과를 기대할 수 있다.

(3) 술전 준비

르포 I 분절 뼈자름술은 적어도 하나 이상의 치간절골이 필요하다. 치주나 치내 문제의 위험성을 낮추
기 위한 술 전 준비가 필요하다. 환자의 구강내 청결과 절골 부위의 조직의 건강이 가장 중요하다. 만약 이
중 하나라도 문제가 된다면 반드시 술 전에 해결되어야 한다.

절골 부위가 결정되면 술전교정을 통해 치간절골 부위의 공간확보를 수술 전에 준비해야 한다. 상악
궁에 수직단차가 있는 경우라면 그 부분이 절골되어야 할 부위이다. 대개 횡궁의 불일치가 있는 경우, 송
곳니 사이와 어금니 사이의 거리가 좁은 경우, 송곳니 사이 거리는 적당하지만 작은 어금니 사이가 좁은
경우 등, 적절한 절골을 위한 위치는 상황에 따라 달라지게 된다. 치간절골에서 치아뿌리 끝 사이 거리는
적어도 3 mm는 되어야 하는 것이 이상적이다. 치아 뿌리는 서로 평행하거나 점점 더 벌어져야 한다. 즉
치아머리보다 치아뿌리 끝 사이 공간이 더 중요하다. 술전교정으로 적절한 공간이 확보되지 않는다면 절
골부위 치아를 발치하고 그 공간은 전방분절을 후퇴시키거나 후방분절을 전진시켜 메꾸게 된다.

(4) 절골 디자인

상악 전체를 아래로 골절하고 2개나 3개로 분절을 하는 경우에는 입천장뼈의 중심 섬주변에 절골을
한다. 입천장 연부조직은 특히 중심부에는 얇고 상대적으로 탄력이 없다. 중심보다 가쪽(lateral)의 조직
이 두꺼우므로 코바닥에서 중심보다 가쪽으로 절골을 하여 연부조직이 전층으로 손상 받지 않도록 주의
한다. 만약 상악을 넓힐 때는 입천장에 두개의 절골을 하여 한군데 절골하는 경우보다 입천장 연부조직이
당겨지는 힘을 덜 받을 수 있도록 한다. 입천장뼈는 서골(vomer), 비중격 연골부위가 붙어 있는 중심은 뼈
가 두껍지만 가쪽 입천장뼈는 얇아 절골하기도 쉽다. 그리고 하나의 큰 절골부위를 가지는 것보다 작은
두 개의 절골 부위를 가지는 경우에 골유합이 더 잘 이루어진다.

(5) 술기

수술시에 출혈을 줄이기 위해 국소마취제(1% 리도카인과 1:100,000 에피네프린)를 절개선을 따라 주
입한다. 잇몸과 점막 경계부위 2-3 mm 위에서 볼살입술 점막골막에 제2 큰어금니부터 반대쪽 제2 큰어
금니까지 이어지는 가로 절개를 한다. 절개선은 환자의 스마일라인보다 높게 하여 활짝 웃을 때 수술흉터
가 보이지 않도록 한다.

절개선 아래로는 골막하 박리를 하지 않고 치아를 포함한 상악뼈에 볼살조직을 최대한 남길 수 있도
록 한다. 코의 주변을 박리하고 가쪽 코벽과 앞쪽코가시를 박리한다. 상방 가쪽(superior lateral)으로 박리
하여 안와하공과 신경을 분리하고 가쪽 후방으로 박리하여 관골상악뼈봉합선과 버팀벽과 날개위턱틈새
를 노출시킨다. 르포 I 상악 뼈자름술에서 기술한대로 뼈자름술을 하고 아래쪽 골절을 하면서 코 바닥으

로부터 연부 조직을 모두 박리한 후에 디자인한 대로 분절 절골을 한다. 입천장 중간뼈는 제일 두껍지만 이 부분 점막은 제일 얇으므로 입천장점막 손상을 피하기 위해서는 입천장 중앙선을 분절단하는 것은 피한다. 만약 상악을 많이 확장해야 되는 경우라면 두개의 시상절골로 입천장 연부조직이 좀더 쉽게 늘어나도록 한다.

얇은 뼈 절단기를 망치질하여 치간절골을 할 때 입천장 쪽에 손가락을 대고 절단기 끝을 느끼면서 입천장 조직을 뚫지 않도록 주의한다. 수직절골시에 주변의 치아 뿌리를 덮고 있는 뼈를 유지하는데 주의를 기울여야 치아가 색깔이 변하거나 동통 또는 움직임이 생기지 않는다. 가로절골은 치아뿌리 위쪽 5-6 mm 위에서 하면 치아의 기능이나 생존에 거의 영향을 미치지 않고 안전하게 시행할 수 있다. 수술 후 초기에 수직분절절골 근처의 치아에서 혈류가 감소하지만 치아가 손실되는 경우는 아주 적다. 분절 절골술 후 치아 감각이 돌아오지 않는 모든 치아는 수직절골선에 가장 가까운 치아이고 수술 1년 후까지 회복되지 않는 경우도 5% 정도이지만 이때 신경치료가 필요하지는 않다.

각 분절의 치아가 교합 스플린트에 잘 맞도록 하여 와이어로 묶는다. 각 분절간 뼈 결손부위에 뼈이식을 하여 뼈의 치유를 돕도록 한다. 뼈이식을 하면서 상악 분절이 틀어지지 않도록 조절한 후 악간고정을 하여 상악의 위치를 확고히 한다. 이후 플레이트와 나사를 이용하여 각 분절을 고정한다. 입천장 스플린트(palatal splint)는 입안에 청결을 유지하기 어렵고 입천장 조직을 눌러 조직 괴사를 유발할 수 있으므로 사용에 주의한다.

수술이 끝나면 입천장과 볼살쪽 연부조직 줄기를 살펴보고 혹시 입천장이나 코 바닥 점막에 찢어진 곳이 있는지 확인하고 필요하면 봉합을 한다.

볼살과 입천장 연부조직 줄기를 최대한 유지하고, 절골편 사이에 조직이 끼지 않도록 주의하고 절골된 골편의 연부조직을 벗겨내지 않아야 한다.

(6) 수술 후 관리

상악이 분절되었을 때 상처의 치유는 연부조직줄기의 혈관분포에 의존하므로 흡연과 같이 조직의 관류를 떨어뜨리는 어떤 것도 피해야 한다. 환자가 금연을 하기 전까지는 수술을 하지 않는 것이 좋다.

수술시작부터 수술 후 약 1주일까지 항생제 치료가 필요하고 적절한 구강 청결의 유지가 매우 중요하다. 입천장 띠를 가진 상악 스플린트는 입천장 점막의 혈액순환에 좋지 않은 영향을 줄 수 있으므로 제작과 착용에 주의해야한다.

(7) 합병증

르포 I 분절 뼈자름술의 가장 심각한 합병증은 치아골부분의 괴사이다. 하지만 이부분으로 가는 볼쪽, 입천장쪽 연부조직의 줄기가 잘 유지가 되는 한 이런 일은 생기지 않는다. 20년동안 1000개의 르포 I 뼈자름술 후 허혈 합병증은 조직이 과도하게 당겨지거나, 너무 많은 뼈의 이동, 상악의 분절정도와 관련된 1%의 환자에서 생겼다고 Karmer et al 은 보고하였다. 그래서 내림입천장동맥의 출혈이 없거나 상악을 움직이는데 방해가 되지 않거나 특히 상악뼈를 여러 조각으로 나누는 분절 뼈자름술의 경우 무혈성괴사를 막기 위해 가급적 내림입천장동맥을 보존한다.

수술 중 연부조직이 너무 당겨져서 허혈부위가 생기지 않도록 해야 한다. 논란의 여지가 있지만 고압산소 치료가 이런 문제를 개선하는 데 역할을 할 수 있다. 수술 2-3일 후 조직의 청색이 지속되고 모세혈관 리필현상이 원활하지 않을 때는 고압산소요법이 도움이 될 수 있는 임상적 징후이다. 고압산소는 신생혈관화를 촉진시키기 때문에 무혈관 부위에는 효과가 없다. 만약 절골선 주변 치아 색이 어두워지거나 증상이 생기거나 치아 뿌리 끝 주위의 방사선 투과성이 증가하면 신경치료가 필요할 수 있다.

3) 상악 전방분절법(Maxillary Anterior Segmental Osteotomy)

(1) 역사

전방분절법은 1921년 Cohn-Stock이 처음 소개하였다. Wassmund가 소개한 전방분절법은 입천장 연부조직 줄기와 부분적 볼살쪽 연부조직 줄기가 전방분절골편의 혈액공급을 담당한다. 앞쪽 상방 입술고랑에 U 모양의 절개선을 이용하여 앞쪽 상악, 조랑박 아랫쪽 그리고 코의 앞쪽 바닥을 골막하 박리한 후 입천장 절골을 하고 필요한 경우 입천장 점막에 시상면(sagittal) 절개를 하기도 한다.

Wunderer 방법은 입천장횡절개와 볼살에 수직절개를 통해 입술쪽 연부조직 줄기를 유지한다. 필요하면 입술 뒤 점막 중심에 수직절개를 부가적으로 넣기도 한다. 입천장을 좀 더 쉽게 볼 수는 있지만 코주변 수평절개와 고정이 어렵다.

Cupar 방법은 볼살전정 절개 후 가로절골과 세로 절골을 한 후 입천장뼈를 직접 보면서 절골을 할 수 있다. 비중격을 처음으로 입천장뼈와 분리한 방법으로 코 구조물과 상악의 위부분에 직접 접근이 가능하고 입천장 뼈를 제거하기 용이하고 단단 고정을 쉽게 할 수 있다.

(2) 적응증

전방분절법은 치아를 발치한 후, 빈 공간의 잇몸 뼈를 잘라낸 뒤, 돌출된 잇몸뼈와 치아를 후방으로 이동시키는 수술을 말한다. 적응증으로는 잇몸뼈돌출이 중등도 이상인 양악돌출, 중등도 이상의 상악 잇몸뼈돌출, 앞쪽 개방교합, 교정적으로 치아를 움직일 수 없을 때, 윗입술이 툭 튀어나온 경우, 웃을 때 잇몸이 많이 보이는 돌출입, 어금니가 많이 없는 돌출입, 보철물이 많아 교정치료가 어려운 돌출입 등이 있다.

(3) 술기

상악 전방분절법 수술시 치아의 조기 접촉 때문에 상악골편의 이동이 제한되는 경우에는 술전교정이 필요하다.

저자는 입천장 절개없이 송곳니부터 제1 작은어금니까지 작은 횡절개를 좌우에 각각 넣어 입술쪽 연부조직과 입천장연부조직 줄기로 이중줄기(dual pedicle)를 유지하여 상악전방분절의 혈행을 보장한다(그림 7-2). 코주변과 윗입술주변 근육들의 손상을 최소화하여 수술 후 코방울이 넓어지지 않고, 인중이 길어 지면서 윗입술이 안으로 말리는 현상을 피할 수 있다.

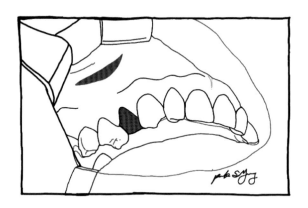

• 그림 7-2. **작은 가로 횡절개, 우측**(Illustrated by Soyoung Park)

필요에 따라 제1 작은 어금니나 제2 작은 어금니 중 한 치아를 상악 양측에서 발치하고 골막하 박리로 조롱박 구멍과 발치한 치아 윗부분의 상악뼈를 노출시킨다. 비강의 외벽으로부터 골막분리기를 안쪽 아 랫쪽 방향으로 향하면서 점막을 박리하여 포켓을 만들고 조롱박 구멍 뒤쪽으로 비강점막이 찢어지지 않 도록 조심하면서 충분히 박리한다.

마이크로 새지탈 톱(micro sagittal saw)을 이용해 교합면과 평행이 되도록 치아뿌리 끝보다 5 mm 위에 서 상악 가쪽벽에 가로절골을 한다. 이때 톱이 가쪽 비벽(lateral nasal wall)을 가로절골할 때 골막분리기로 내측 점막을 보호하는 것에 주의를 기울인다. 전방분절을 상방이동 시킬 계획이 있는 경우에는 이동시킬 양만큼 가로절골선과 평행으로 골절개를 하고 그사이의 골편을 제거한다. 발치한 치아의 윗부분 상악뼈 에서 후퇴시키기로 계획한 만큼의 피질골판을 제거한다(그림 7-3). 그 공간을 통해 3-4 mm 버(burr)를 이 용하여 입천장 점막이 찢어지지 않도록 주의하면서 입천장 중앙부위까지 입천장뼈를 제거하고 반대측에 서도 동일한 방법으로 입천장 뼈를 제거하여 상악전방분절을 후퇴시킬 확보한 후 비중격과 분리하여, 전 방분절이 입술쪽 연부조직과 입천장연부조직의 이중줄기에 근거하여 안전한 자유로운 움직임을 가지게 한다.

미리 제작된 교합 웨이퍼를 이용하여 전방분절을 계획된 위치에 플레이트와 나사로 상악뼈에 단단하 게 고정 후, 수직절골부위 바로 옆 치아들을 치간와이어로 고정한다(그림 7-4). 골막과 근육층을 먼저 봉합 하고 점막절개선 봉합을 한다. 상악 전방분절 수술 후 교정치료를 통해 발치 후 남아있는 공간을 닫고 기 능적교합 개선과 기지런한 치아배열 등을 얻을 수 있다.

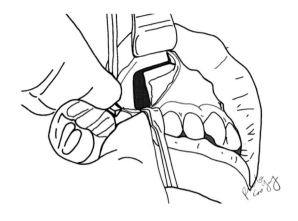

● 그림 7-3. **전방분절절골, 우측**
(Illustrated by Soyoung Park)

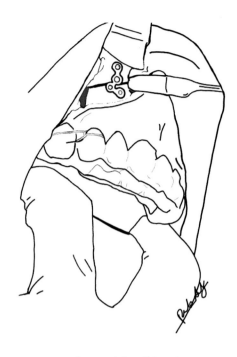

● 그림 7-4. **전방분절의 고정**
(Illustrated by Soyoung Park)

(4) 전방분절 합병증

치아손상, 치주결손, 교합면단차, 미용적으로 만족스럽지 못한 결과, 분절 괴사, 구비강누 등이 생길 수 있다.

2. 하악수술 (Mandibular Orthognathic Surgery)

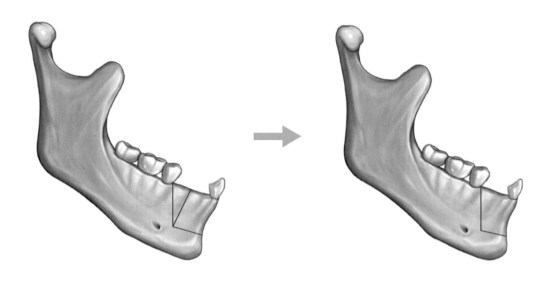

● 그림 7-5. Hullihen이 발표한 V형 분절골절단술(v-shape segmented ostectomy)의 개념.

악안면 기형(dentofacial deformity) 교정(correction)과 관련하여 하악골 수술 방법에 대한 고민은 오래 전부터 시작되었다. 1849년 미국 외과의사 Simon P. Hullihen은 화상으로 인하여 변형 돌출된 하악 전방부를 부분 절골 방식인 V형 분절골절단술(v-shape segmented ostectomy)로 교정한 치험례(그림 7-5)를 발표하였다. V. P. Blair(1906) 등은 하악골 후퇴를 위한 골체부 절단술(mandibular body ostectomy)을 제안하였으며 비슷한 목적의 연구와 시도가 꾸준히 이어졌다. 이후 1950년대에서부터 1960년대에 이르러 급격한 기술적 발전을 토대로 다양한 구강내 하악수술 방법이 소개되었다. 그 가운데 R. Trauner와 Hugo L. Obwegeser(1957)가 발표하고 G. Dal-Pont(1958)이 변형한 하악골상행지 시상분할골절단술(SSRO, sagittal split ramus osteotomy, Obwegeser-Dal-Pont osteotomy)과 R. P. Winstanley(1968)에 의해 시술된 구내 하악골상행지 수직골절단술(IVRO, intraoral vertical ramus osteotomy)이 대표적이다. 오늘날 일반적으로 이용되는 하악수술 방법들은 원래의 SSRO, IVRO방식이거나 혹은 이를 응용한 것이다. 따라서 이 장에서는 구강내 SSRO와 IVRO 및 분절골절단술(segmental osteotomy) 등의 기본적인 술식과 특징에 대해서 알아보고자 한다.

1) 하악골상행지 시상분할골절단술(SSRO, Sagittal Split Ramus Osteotomy)

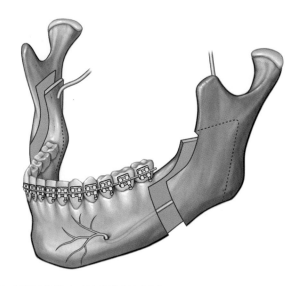

● 그림 7-6. **하악골상행지 시상분할골절단술(SSRO, Sagittal Split Ramus Osteotomy)**

(1) 특징 및 적응증

SSRO(그림 7-6)의 술기 특성상, 분리된 골편의 망상골간 접촉면이 넓기 때문에 초기 골유합에 유리하다. 이와 같은 빠른 골 회복은 조기 개구와 저작 등을 가능케 하여 환자의 일상 복귀를 촉진시키는 장점이 있다. 그러나 골편 사이에서 강한 압력으로 눌린 신경혈관분지(nerovascular bundle)는 종종 신경장애(neuropathy)로 이어질 수 있고, 적절하지 못한 과두의 변위는 악관절증 등을 유발시킬 수 있으므로 수술자의 경험이 요구된다. 구내 접근법이 소개되면서부터 하악골 후퇴증(mandible retrognathism), 하악골 전돌증(mandible prognathism)과 함께 다양한 악안면 비대칭증(dentofacial asymmetry) 사례 등을 개선하는데 보편적으로 이용되고 있다.

(2) 절개 및 박리

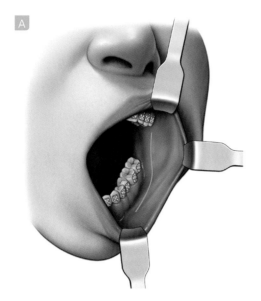
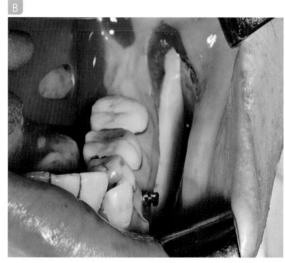

● 그림 7-7. **(A)** SSRO 절개선은 하악 상행지 중간 위치에서 외사선을 따라 주행하여 제1대구치 근심면까지 이어진다. **(B)** SSRO 박리 범위는 하악지 외측부 전후방 그리고 하연을 포함하고 있다.

하악 최후방 대구치(제2대구치) 상방 2 cm 높이의 구강점막에서부터 외사선(external oblique ridge)을 따라 주행하여 제1대구치 근심면까지 절개한다(그림 7-7A). 교합면 상방 2 cm 이상의 높이에서 절개할 경우 협부 지방층(buccal fat pad)이 노출되어 시야와 접근을 방해할 수 있으므로 주의한다. 골점막 절개 후 외측 골막하 박리를 시행하고 견인한다. 외측 박리의 상방 경계는 하악골 상행지의 반소설융기(antilingular prominence), 후방 경계는 상행지 후연(posterior border of ramus), 하방 경계는 우각부와 하악체의 하연(inferior border of mandible body), 전방 경계는 제2소구치까지 연장하되 이공(mental foramen)과 하치조신경 위치를 사전에 확인하여 손상되지 않도록 한다(그림 7-7B). 내측 박리는 하악공(mandibular foramen)에 진입하는 하치조신경혈관분지(inferior alveolar neurovascular bundle)가 있으므로, 상행지 전연부 절개선의 내면 골막을 따라 날카롭지 않은 골막기자(blunt periosteal elevator)로 매우 조심스럽게 박리하고 견인한다.

(3) 골절단 및 재위치

SSRO의 골절단은 내측 수평골절단, 상행지 전연부에서 제2대구치 근심면까지의 시상방향절단, 제2대구치 근심면에서 하악체 하연까지의 수직골절단 순이다. 박리된 내측 골막을 부드럽게 견인하여 하악소설(lingular)을 확인하고 약 2 - 3 mm 상방에서 치과용 버(bur)를 이용하여 접근로를 확보하고, 수술용 톱(reciprocating saw)으로 수평골절단을 시행한다. Saw blade의 앞부위가 하악소설에 근접하면 주변 신경혈관분지가 손상될 수 있으므로 견인자(retractor)로 보호하고 절단 수평거리를 미리 계산해야 한다. 시상방향절단을 할 때에 수술용 saw가 경로상의 대구치에 너무 인접하면 치근이 손상될 수 있으므로 주의한다. 하치조신경의 주행방향과 수직골절단선의 방향이 교차되므로 수직골절단선의 깊이는 피질골에 한정되어야 한다. 더불어 길이는 하악체 하연까지 포함되는 것이 좋은데, 골절단선이 온전히 하악체 하연 피질골로 연결되지 않을 경우, 근원심 골편의 불완전한 분리 또는 하악 골절(mandible fracture)이 발생할 수도 있다.

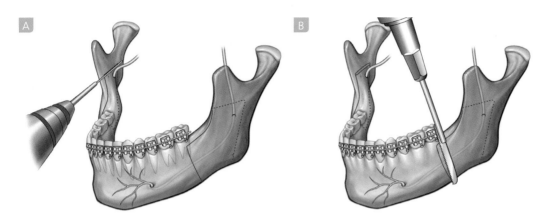

• 그림 7-8. **(A)** SSRO 내측 수평골절단은 하악소설을 기준으로 하여 하악공으로 주행하는 하치조신경혈관분지가 손상되지 않도록 주의한다. **(B)** SSRO 수직골절단은 내측에서 주행하는 하치조신경혈관분지가 손상되지 않도록 절단 깊이가 피질골에 한정되어야 한다.

절골선이 완성되면 절골기(osteotome)로 근원심 골편의 분리를 시도한다(그림 7-9A). 처음에는 얇고 날카로운 절골기를 이용하여 피질골 분리를 확인한다. 분리가 확실하다고 판단되었다면 다소 두터운 절골기로 간극을 넓힌다. 완전히 분리되기 전에 하치조신경이 원심 골편에 위치하는지를 확인하고, 근심 골편에 부착되어 있다면 조심스럽게 박리하여 재위치 시켜야 한다. 분리가 완성되어 원심 골편의 자유로운 이동이 확인되면, 준비한 교합상(wafer)에 상하악을 맞추고 견고한 악간고정(rigid intermaxillary fixation)을 시행한다. 이후 하악과두와 양 골편을 재위치하고 사례에 따라 근심 골편의 잉여 부분을 제거한다(그림 7-9B).

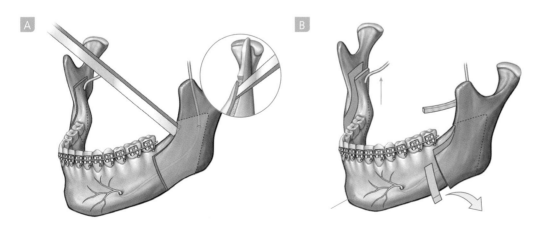

• 그림 7-9. **(A)** 골절단 후, 날카롭고 얇은 절골기에서부터 다소 두터운 절골기까지 차례대로 사용하여 절골 간극을 조심스럽게 넓힌다. **(B)** 교합상에 하악을 맞추고 악간고정을 한 후, 고정 전에 근심골편의 경계부를 조정한다.

(4) 고정

SSRO의 골편간 고정방법에는 강선 고정법(wire fixation), 나사못 고정법(screw fixation), 금속판과 고정나사를 이용한 고정법(plates and screw fixation) 등이 있다.

강선 고정법은 수술용 강선으로 근원심 골편 양측의 피질골을 묶어서 고정하는 방식이다. 고정 위치에 따라 상부와 하부고정으로 구분할 수 있는데, 잔존 골편의 유무와 두께의 영향을 받는다. 하악의 조기 기능 안정성 측면에서 선택에 주의를 요하며 최근에는 우선적으로 고려되지 않는다.

나사못 고정법(그림 7-6A)은 긴 나사못으로 근심 골편 협측 피질골에서부터 원심 골편 설측 피질골까지 삽입하여 강성 고정(rigid fixation)하는 방식이다. 보통 3개의 나사못을 적용하는데, 위치 특성상 구내 접근은 한계가 있기에 관통기구(trocar)를 이용하는 구외접근법이 용이하다.

금속판과 고정나사 고정법은 사용하는 금속판과 나사의 형태와 기능적 특성에 따라 여러 이론이 주장되었다. 고정판과 나사못을 이용한 고정성 고정법(rigid fixation)이 처음 소개되었을 때, 압박나사와 금속판(compression screws and plates)을 이용하여 골간 압착성을 높이는 것이 1차 골치유, 빠른 하악 운동기능 회복, 교합 안정성에 유리하다는 이론(compression osteosynthesis)이 제기되었다. 그러나 Champy M, Lodde JP(1976) 등은 압박고정법이 오히려 재발과 장기적으로 교합 불안정성을 초래한다고 보았다. 그들은 소형의 금속판과 나사못(mini-plates and screws)을 이용하여 하악에 부하(tensile strain)가 가해지는 특정 부위를 고정하는 것만으로도 충분하다는 것을 주장하였으며, 오늘날에는 이 이론에 바탕을 둔 고정법이 널리 쓰이고 있다(그림 7-10B). 또한 최근에는 생체흡수성 고정판과 나사못 고정법(biodegradable fixation system)이 많이 소개되고 있다. 하악 골절 뿐만 아니라 하악 전진 수술에서도 골유합과 기능적 안정성 면에서 금속판과 나사못 방식과 비견될 만한 임상 결과가 꾸준히 보고되고 있다. 단, 조작(handling)의 번거로움, 재료의 특성에서 기인하는 제품의 부피증가, 단조로운 형태, 상대적 높은 가격 등 선택적 대체제로서의 한계 역시 간과할 수는 없다.

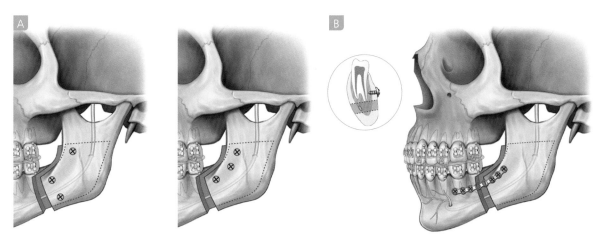

● 그림 7-10. 근래의 SSRO 고정법은 주로 나사못 고정, 금속판과 고정나사를 이용한 방법이다. **(A)** 나사못 고정법 **(B)** 소형금속판과 고정나사 고정법

(5) 합병증

SSRO 술식에서 비교적 빈번하게 발생하는 합병증은 신경손상에 의한 이상감각(paresthesia)이다. 지각이상 정도의 평가는 사례와 환자의 인지 능력 차이에 영향을 받으므로 일관된 결과를 도출하기는 어렵다. 그럼에도 불구하고 하악관(mandibular canal)의 불가피한 파쇄와 신경혈관분지의 노출은 필연적으로 이상감각에 귀결된다. 불완전한 골편 분리나 하악 골절도 적지 않은 합병증 가운데 하나이다. 절골기의 삽입과 분리, 제3대구치의 발치 과정 등에서 주로 일어난다. 과거 하악 우각부 골절 등의 이력이 있다면 동 부위 근심골편에서 불완전 분리가 발생할 가능성이 높다. 잘못된 과두 변위에 의한 악관절장애 역시 꽤 빈발하는 합병증이다. 강선고정은 과두를 지나치게 견인하는 경향이 있고, 초기 동요에 취약하여 과두의 변위를 유발하곤 한다. 또한 나사못과 금속판과 고정나사 고정법과 같은 강성고정에서의 과한 고정력은 골절단부와 과두의 뒤틀림을 초래할 수 있다.

2) 구내 하악골상행지 수직골절단술(IVRO, Intraoral Vertical Ramus Osteotomy)

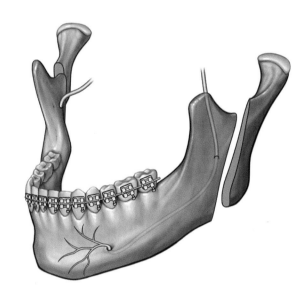

● 그림 7-11. **구내 하악골상행지 수직골절단술(IVRO, Intraoral Vertical Ramus Osteotomy)**

(1) 특징 및 적응증

IVRO(그림 7-11) 방식은 근원심 피질골간의 제한된 중첩면적, 고정을 하지 않는 특성 때문에 하악골 후퇴증례(mandible retrognathism)에 적용하기 어렵다. 게다가 약 2주간의 강한 악간고정(rigid intermaxillary fixation)은 환자에게 상당히 불편하고, 고정 제거 후의 능동적 물리치료법(active physiotherapy) 과정은 의료진의 세심한 관찰과 숙련도가 요구된다. 그러나 동시에 과두의 생리적 평형위(physiologic equilibrating position)로의 재위치와 자연스러운 골개조 현상은 재발과 악관절장애 예방에 큰 기여를 한다. 더불어 수술시간 감소와 술기의 간소화는 환자의 빠른 회복에도 도움이 되므로 하악골 전돌증(mandible prognathism) 혹은 안면비대칭(facial asymmetry) 사례의 양악수술(double jaw surgery)에 많이 이용되며, 악관절 장애환자의 수술적 치료에도 적극적으로 활용되고 있다.

(2) 절개 및 박리

절개는 하악 최후방 대구치(제2대구치) 상방 2 cm 높이의 구강점막에서 시작하여 외사선(external oblique ridge)을 따라 주행하고 제1대구치 원심면에 이른다. 전반적으로 상술하였던 하악골상행지 시상 분할골절단술(SSRO) 절개선과 거의 유사하다. 외측 골막하 박리의 상방 경계는 하악골의 S절흔(sigmoid notch), 후방 경계는 상행지 후연(posterior border of ramus), 하방 경계는 우각부와 절흔(antegonial notch), 전방 경계는 제1대구치 근심면이다. SSRO와 비교하면, S절흔과 후방의 하악골 과두하부(subcondyle)까지 충분히 연장한다는 것과 내측 박리는 시행하지 않는 다는 점에서 차이가 있다.

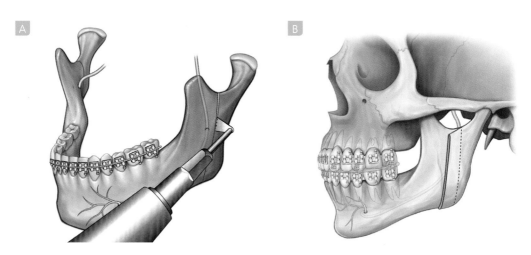

● 그림 7-12. **(A)** IVRO 골절단은 신경혈관분지 손상을 예방하기 위해서 상행지 반소설융기를 기준으로 약 5 mm 후방 떨어진 곳에서 한다. **(B)** 수직골절단 후에 원심골편을 움직여 교합상에 맞추고 근원심 골편간 중첩 여부를 확인한다.

(3) 골절단 및 재위치

IVRO의 골절단은 상행지 외측 S절흔에서부터 우각부까지의 단일 수직골절단이다. 박리된 외측 골막을 S절흔과 우각부위에서 견인자(Bauer's retractor)로 견인하고 반소설융기를 확인하고 약 5 mm 후방에 골절단선을 표시한다. 이는 반대편 내측의 하악공(mandibular foramen)에 주행하는 하치조신경혈관분지 (inferior alveolar neurovascular bundle)의 손상을 방지하기 위함이다. 설계선을 따라 수술용 톱(oscillating saw)으로 수직골절단을 진행하는데(그림 7-12A), 원심 골편의 원활한 후방이동을 위해 S절흔 주변에서 경사 절골을 한다. 절골이 완성되면 내측 변위된 근심 골편의 골막과 근육을 박리하여 외측으로 중첩되도록 한다. 이후 준비한 교합상(wafer)에 상하악을 맞추고 견고한 악간고정을 시행한다(그림 7-12B). 악간고정까지 완성되고 나서 교합을 확인한 다음에 중첩 부위와 근심 골편 하단의 돌출부를 검사한다. 비대칭 사례 등에서는 하악골의 후방이동시 근심 골편의 지나친 이개가 관찰될 수 있는 경우가 많은데, 조기 접촉 부위의 피질골을 조심스럽게 삭제하여 중첩이 되도록 유도해야 한다. 근심 골편 하단의 돌출부는 하악골 하연 높이에서 제거하여 우각부 돌출을 최소화하는 것이 바람직하다.

(4) 고정

IVRO 방식이 처음 고안되었을 때에는 수술용 강선 등을 이용한 고정이 시도되었다. 그러나 근심 골편 과두의 생리적 평형위 개념과 하악골의 조기 능동적 물리치료법 소개로 근래에는 고정을 추천하지 않고 의료진에 따라 기간에 차이가 있으나 약 2주간 악간고정을 한다. 고정을 하지 않기 때문에 의료진은 특별히 계획된 능동적 물리치료법을 약 3 - 4주간 교육하면서 개방교합 등의 부작용 유무를 면밀히 관찰해야 한다.

(5) 합병증

IVRO 합병증에는 수술중 출혈, 술 후 과두부의 변위에 의한 불완전한 골유합, 개방교합 등이 있다. 출혈은 교근동맥, 하치조동맥, 후하악정맥에서 발생할 가능성이 높다. 특히 하악 수직골절단을 하면서 수술용 톱날의 반경 계산 착오와 주행방향에서의 골점막 보호 실패 등이 원인으로 추정된다. 출혈이 확인되면 빨리 거즈압박이나 지혈겸자를 사용하는데, 지혈제 사용은 환자의 상태에 따라 가능하다. 출혈이 조절되지 않을 경우 혈관 색전술이나 결찰술 등을 고려해야 한다. 부적절한 과두부 변위는 능동적 물리치료 과정에서 나타나곤 한다. 하악 운동중에 근심 골편이 뒤로 밀리면서 이개가 되거나 원심 골편 내측으로 틀어지는 양상인데, 환자가 인지하지 못하기도 하므로 의료진은 물리치료 중에 유심히 관찰해야 한다. 개방교합은 앞서 설명한 과두부의 변위에 의해서 혹은 강한 저작근 활성화에 대응하는 물리치료 적응 실패 등에서 발생한다. 조기에 발견된다면 교정용 고무줄 유도와 악간고정을 번갈아 시행하면서 치료할 수도 있지만, 1개월을 초과하여 발견된다면 골편 재위치를 위한 수술을 고려해야 한다.

3) 하악골 전방분절골절단술(ASO, Anterior Segmental Osteotomy of Mandible)

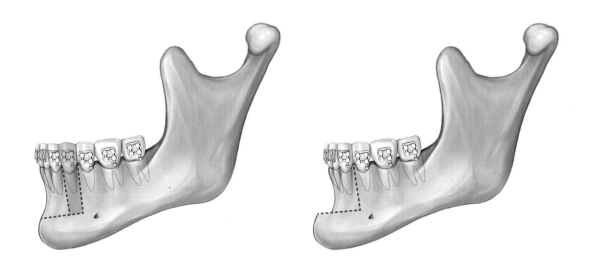

● 그림 7-13. 하악골 전방분절골절단술(ASO, Anterior Segmental Osteotomy of Mandible)

(1) 특징 및 적응증

ASO(그림 7-13) 방법은 양악전돌증(bimaxillary protrusion) 사례에 처음 적용된 이후, 치아치조돌출(dento-alveolar protrusion) 및 하악전돌증(mandible prognathism), 전치부 개방교합(anterior openbite) 일부 증례에까지 다양하게 이용되고 있는 술식이다. 비록 후방 이동의 제한이 있지만, 치아교정 전문의와 충분히 논의가 된다면 사례에 따라 분절 골편의 각도와 수직고경의 변화와 좌우 회전(yaw rotation) 등을 시도할 수 있다.

(2) 절개 및 박리

하악 전치부 견치에서 반대측 견치까지 순측 전정부위 구강점막에 수평절개를 한다. 절개 후 수직골절단술이 시행될 부위 순측 치조골로부터 설측 방향으로 골점막 박리를 진행한다. 현장 발치 여부에 따라 치간 치은의 절개가 포함된다. 견치 순측 치근단부 후하방까지 박리를 연장하는데, 주변의 이공(mental foramen)에서 나오는 하치조신경혈관분지(inferior alveolar neurovascular bundle)가 손상될 수 있으므로 수술 동안 매우 주의하여 보호할 필요가 있다.

(3) 골절단 및 재위치

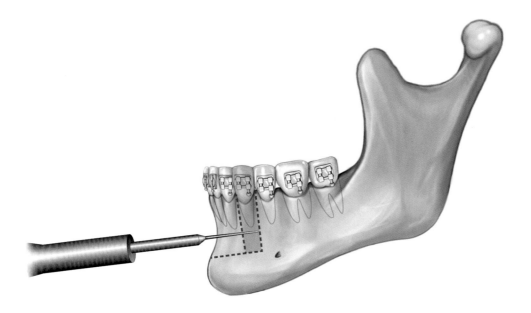

● 그림 7-14. ASO 골절단은 부적절한 치아, 치조골 손상을 동반할 수 있으므로 사전에 치근의 위치와 만곡도 등을 자세히 확인할 필요가 있다.

골절단을 위해서는 사전에 분리될 골편의 치근 길이와 축, 이개도 등을 미리 확인하고, 노출된 골면에서 연필로 설계하는 것이 좋다. 수술용 톱(saw)이나 치과용 버(bur)로 발치된 공간의 치조정에서부터 치근 하방 약 5 mm 내외까지 수직골절단을 한다(그림 7-14). 수직골절단을 하면서 절단기구의 접촉으로 순설측 치은, 골점막, 하순 등이 자주 손상되므로 견인자(retractor) 등으로 보호한다. 특히 ASO 골편의 회복은 골점막을 통한 혈류공급에 크게 좌우되는데, 골점막 손상으로 인한 혈류공급의 불량은 결국 무혈성 골괴사(avascular bone necrosis)로 이어질 수 있다. 수직골절단이 끝나면 양 측면을 수평골절단으로 연결한다.

(4) 고정

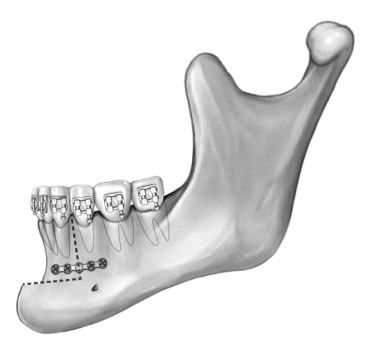

● 그림 7-15. ASO에서는 고정판과 고정나사 뿐만 아니라 결찰용 와이어 등을 복합적으로 이용하여 분절된 골편의 견고하고 안정적인 고정을 유지하는 것이 중요하다.

골절단을 완료하고 상하악 치아에 교합상(wafer)을 위치한다. 교합상에 분절 골편이 자연스럽게 맞지 않는다면, 불필요하게 접촉되는 부분을 삭제해서 정위치를 찾아가야 한다. 정위치를 면밀하게 재검토하고 안정적인 골편간 접촉이 확인되면 악간고정(intermaxillary fixation)을 한다. 고정방법에는 나사못 고정법(screw fixation)과 금속판과 고정나사를 이용한 고정법(rigid internal fixation) 등이 있다(그림 7-15). 분절 골편의 안정적 유지가 중요하므로 견고한 고정이 요구되며, 필요에 따라 교정용 arch wire를 치열 전체에 적용하거나, 간극 사이에 놓인 치아간 와이어 결찰 등으로 보강하기도 한다. 또한 분절 골편의 예상 고정 부위는 치근과 매우 밀접해서 치근 파절이나 천공이 발생하기도 하고, 골편이 취약해져 있어서 불완전하게 고정되기도 하므로 주의를 요한다.

(5) 합병증

주된 합병증은 치아의 생활력 상실과 신경손상에 의한 이상감각(paresthesia)이다. 협소한 수술부와 제한된 시야는 원활한 수술에 방해가 되며 술자에게 매우 세심한 접근을 요구한다. 치아의 위치, 치근의 방향, 치근 만곡도 등은 수술 전에 자세히 검토해야 한다. 아울러 혈류공급 유지 여부는 ASO의 가장 중요한 성패 요소 가운데 하나이다. 분절편의 혈류 공급이 불확실하면 치아 분절편의 치아와 치조골이 괴사될 가능성이 높다. 특히 수직골절단 공간은 가급적 최소화 하는 것이 좋은데 너무 넓으면 분절 골편의 안정성을 떨어트리고 신생골 형성이 지체되거나 인접한 치아의 생활력이 상실될 수 있다.

3. 양악수술 (Two-Jaw Surgery)

1980년대에 들어서면서 상악과 하악을 동시에 움직이는 양악수술로 환자를 치료하는 것은 일반적이 되었다. 얼굴뼈 변형의 복잡성 때문에 위턱과 아래턱 모두를 움직여야 기능적, 미용적으로 개선된 결과를 얻을 수 있다고 많은 저자들이 보고했다. 지난 20년 넘게 경험이 늘고 기술은 더 섬세해지고 수술 계획은 더 정교해졌다. 초기 연구들에서 양악수술에서 철사로 고정하는 경우 안정성이 떨어진다고 보고되었지만 경직고정(rigid fixation)으로 상악과 하악 수술 모두의 안정성을 높이게 되었고 기술의 발전에 따라 원하는 결과를 얻을 수 있는 능력도 증가하게 되었다.

1) 적응증

양악수술의 적응증은 비대칭, 중심선이 많이 벗어난 경우, 교합면이 기운 경우, 과도한 수직성장, 기도 문제, 특정한 유형의 돌출입, 하악왜소, 주걱턱 등이 있다. 일반적으로 상악의 앞니중심선은 얼굴의 중심과 일치하는데 차이 정도에 따라 눈의 띄는지가 결정된다. Cardash 등은 그 차이가 2 mm 이하인 경우 전문가와 일반인의 50%에서 중심선이 벗어난 것을 알지 못한다고 보고하였다. 상악의 중심선이 2 mm 이내에서 벗어난 경우 받아들일 만하지만 그 이상이라면 이를 개선하기 위해 상황에 맞게 교정적 방법 또는 수술적 방법을 고려해야 한다.

환자들이 힘을 뺀 상태에서 앞니의 노출이 4 mm 이상인 사람들의 상악을 분석한 결과 상악 입천장의 수직 위치는 모두 유사하였고 상악의 수직 과다인 경우는 대개가 치아와 치조골의 높이 때문이라고 Ellis 는 보고하였다. 과도한 앞쪽 수직 높이 때문에 입술이 편안하게 다물어지지 않고 구강호흡을 과하게 하게 되고 결국 잇몸의 염증이 동반되는 경우가 많다. 정상적인 윗입술의 길이를 가진 환자가 입술이 과하게 벌어져 있는 경우 이 문제는 상악뼈를 위로 올리는 수술로 개선할 수 있다.

이번 챕터에서는 비대칭의 활동적인 원인이 없는 안정된 비대칭에 대해 언급하겠다. 골성 분류 I, II, III 환자의 경우 비대칭을 가지고 있으면 교합면, 입술, 턱끝에 대한 기울기가 달라지게 되는데 이 기울기 차이를 개선하기 위해서는 상악과 하악 모두를 움직여야 하는 경우가 자주 있다.

상악과 하악을 움직이면 인두기도(pharyngeal airway)에 많은 영향을 주게 된다. 하악후퇴술후에 목뿔뼈(hyoid bone)가 의미 있는 정도로 아래쪽으로 이동한다. 수술 후 약 1년이 지나면 목뿔뼈는 원위치로 돌아가기 때문에 혀 뒤 기도공간이 좁아지는 결과가 된다. 그러므로 많은 양의 하악 후퇴를 계획한 경우라면 그 환자에서 기도공간 막힘에 대해 검사를 먼저 해야 한다. 아니면 하악의 후퇴량을 줄여 뒤쪽 기도 공간이 확보될 수 있는 치료법이 고려되어야 한다.

2) 안정성

양악수술의 안정성은 각 턱뼈의 이동방향, 고정방식, 각 턱뼈에 적용된 수술기법 등과 관련이 있다. 양악수술에서 안정성을 위해 와이어 고정을 하면 수술 후 상악 뒤쪽이 위로 올라가게 된다고 보고되었다.

상악과 하악에 경직고정(rigid fixation)이 그런 문제들을 어느정도 해결하였다. 턱수술에서 상악을 위로 이동시키고 위턱의 높이를 유지하면서 아래턱을 앞으로 전진시킬 때가 가장 안정적이다. 그리고 상악수술이 하악수술보다 안정적이다.

수술 후 안정성은 상악의 상방이동, 하악의 전방이동, 상악의 전방이동, 하악의 후퇴 순으로 떨어진다. 가장 안정성이 떨어지는 턱수술은 상악을 횡으로 확장시키는 것으로, 재발을 줄이기 위해서는 상악분절을 회전시키지 말고 횡으로 변형(translation)시키고 분절 사이에 뼈이식을 하거나 절골편 사이에 플레이트로 고정을 하거나 방시상(parasagittal) 입천장 절개를 한다.

3) 술기

턱교정 수술은 두 개의 그룹으로 나눌 수 있다. 첫째 그룹은 전통적인 방법으로 술전과 술후 교정치료 사이에 수술을 하는 경우이고 두번째 그룹은 치아교정 이전에 수술을 먼저 하는 것이다. 전통적으로 턱교정수술은 술전 술후에 시간이 많이 걸리는 교정치료 과정을 포함한다. 수술을 할 시기는 전적으로 성공적인 술전 교정 준비에 달려있고 긴 치료시간 때문에 환자들이 힘들어 한다. 뿐만 아니라 선천적으로 문제가 있는 환자들의 턱교정수술이 보험 적용이 되는지도 중요한 문제이다. 보험회사들이 술전 교정 치료에 대해서는 보험적용을 안하고 있기 때문에 계획된 턱교정 수술이 혜택을 받지 못하고 있다.

그러므로 선수술 하는 것이 대안이 될 수 있다. 이 개념은 30년전부터 나온 개념이지만 지난 10년 동안 선수술에 엄격한 적응조건을 적용하면서 성공적인 선수술 결과들이 보고되었다. 밀집(crowding)이 심해 발치가 필요한 경우, 심한 비대칭, 입천장 확장이 필요한 심한 입천장의 압축(constriction), 활동적인 치주질환, 턱관절질환이 있는 경우 등은 선수술의 적절한 대상이 되지 못한다. 술전교정이 없기 때문에 환자들이 수술을 계획하는데 좀더 자유롭지만 그래도 턱교정수술 1주 전에는 수술 전 교정 브라켓을 붙여야 한다. 수술자의 선수술 경험과 교정의의 전문성도 중요한 요소이다.

선수술 후 교정치료 기간이 일반적인 수술에 필요한 수술 전, 후 교정 기간보다 짧기도 하지만 치아가 움직이는 양은 꽤 많은 것으로 보고된다. 최근 문헌에 따르면 선수술 후 약 45주 정도의 교정기간이 보고되고 있다. 하지만 선수술 후 2주 안에 교정이 시작되면 국소적으로 교정치료가 빨라지는 장점을 얻을 수도 있다. 기존의 수술법과 선수술법의 결과를 비교한 연구에서, 선수술을 받은 환자의 경우 좀더 짧은 치료 기간을 가질 수 있었고, 술후 상악, 하악의 안정성과 교합문제는 기존의 수술법과 차이를 보이지 않았다.

만약 하나의 턱만 움직이게 되는 경우라면 최종 스플린트를 이용하여 움직이는 턱을 남아있는 턱으로 교합을 유도하고, 상악과 하악 모두 움직이기로 계획한 경우는 먼저 움직이는 턱을 중간 스플린트로 남아

있는 턱에 교합을 유도한다.

사랑니 발치는 대개 턱교정 수술 6-9개월 전에 시행하는 것을 추천하지만 턱교정 수술과 동시에 시행하기도 하는데 특별히 수술시간이 길어지거나 수술 후 회복에 부정적인 영향을 미치치 않는다는 보고도 있다.

양악수술은 전통적으로는 상악을 먼저 수술하고 하악을 그 다음에 움직이지만 순서는 적절한 중간 스플린트를 이용하면 바뀔 수 있다. 두 턱 모두 고정하기 전까지 움직이는 쪽에 대해 안정된 반대쪽을 기초로 한다. 상·하악을 모두 움직이면 공간의 모든 면에서 변화가 가능하다. 환자 뼈의 차이가 잘 반영된 정확한 모델 수술(model surgery)이 중요하다.

표 7-1. 선하악 – 선상악 수술의 적응증

선하악수술
    교합면의 시계반대방향 회전
    분절상악절골 상악갈림(Cleft maxilla)
    상악후방부위에 다운그래프팅(Downgrafting)
    상하악복합체 전진 양이 많을때
    정확한 교합 취득이 어려운 앞쪽 개방교합

선상악수술
    교합면의 시계반대방향 회전
    한조각 상악
    하악의 견고한 교정이 불가능한 경우
    상악의 상방이동
    상하악복합체 전진 양이 적을 때

출처 Sanjay Naran, M.D. Derek M. Steinbacher, D.M.D., M.D. Jesse A. Taylor, M.D.: Current Concepts in Orthognathic Surgery, 141(6) 925-936, 2018

전통적으로 상악을 먼저 수술하고 하악에 맞춰 고정을 한 후, 하악을 수술해서 이미 새로운 위치에 자리잡은 상악에 맞춰 고정을 한다. 상악수술을 먼저 하는 경우에도 하악의 시상분리절골에서 피질골절골만을 먼저하고 그 다음 상악 르포 I 위턱자름술을 하고 고정을 한 뒤에 다시 아래턱 절골술을 마무리하는 수술자들도 있다. 하악 절골을 하기위해서는 입을 많이 벌려야 하는데 그로 인해 이미 플레이트와 나사 고정으로 위치를 잡은 상악이 의도치 않게 움직일 수 있다. 시상분리절골술을 마무리하는 데는 입을 크게 벌리지 않아도 되므로 상악의 위치가 바뀔 위험이 작다.

다른 방법은 하악을 먼저 수술하고 그 다음에 상악을 수술하는 것이다 Borba 등은 양악수술에서 하악수술을 먼저 하는 순서에 대해 시스템 리뷰를 하고 논문들을 발표하였다. 논문들에서 하악의 반비대(hemihypertrophy), 하악 종양, 반안면왜소증 등 상하악복합체의 적용이 어려운 경우에는 하악수술을 먼저 할 수 있다고 보고하였다. 하악의 후방을 아래쪽으로 이동하여 뼈 이식이 계획된 경우, 중간 스플린트가 너무 두꺼워 상하악복합체 고정이 원활하지 않을 때, 상악의 고정이 견고하지 않을 때, 동시에 턱관절수술을 계획한 경우, 상악 분절절골이 계획된 경우, 또는 상악갈림(cleft)이 있는 경우 하악수술을 먼저 하는 것을 고려해볼 수 있다. 물론 상악을 먼저 수술할 수도 있지만 어떤 수술을 먼저 할지는 수술자에 따라 결정된다.

두 가지 방법 모두에서 임상적 검사(clinical examination), 두개골방사선계측추적(cephalometric tracing), 모델수술(model surgery), 교합 스플린트(occlusal splint) 제작 등이 정확한 수술 시행과 결과 예측에 도움을 준다. 술전 술중 그리고 술후 이미지 변화에 대한 더 나은 이미징(imaging) 기술의 발전으로 더 향상된 진단과 치료계획을 세울 수 있게 되었다. 높은 선명도와 저선량(low radiation)을 가진 컴퓨터단층촬영과 소프트웨어의 발전 덕분에 정확한 절골 부위와 골격의 이동을 실제 수술에서와 같이 3차원적으로 시뮬레이션(simulation) 하여 수술계획을 수립하거나 중간, 최종 스플린트 제작 과정에서 컴퓨터가 보조하는 디자인과 모델링을 하는 것이 가능해졌다. 이로 인해 술전 계획 준비 시간뿐만 아니라 수술 시간도 줄고 절골과 고정의 정확성도 개선될 것이다. 실제 수술계획의 다음 세대에는 환자 개개인에 맞는 절골가이드와 고정 플레이트의 제작이 가능해져 수술에서 계획된 절골과 포지셔닝을 더 정확하게 하도록 하면서 수술시간을 단축시킬 수 있을 것이다.

양악수술에서 수술자는 교합면 각도를 바꿔 상하악복합체를 시계방향이나 시계반대 방향으로 회전시켜 미용적으로 더 나은 결과를 얻을 수 있다. 교합면이 높거나, 긴얼굴, 짧은 얼굴, 장두 얼굴형태, 낮은 교합면, 단두 얼굴형태 등이 상하악복합체 회전으로 도움을 얻을 수 있는 얼굴 형태들이다. 높은 교합면의 얼굴형태는 선호도가 높은 얼굴이고 특히 많은 아시아 국가들에서 여성스럽고 어려보이고 예쁘게 여기는 얼굴형으로 여겨지고 있다. 양악수술 같은 턱교정수술은 교합문제나 턱과 관련된 문제를 해결하려고 할 때 하게 된다. 대부분의 경우 턱교정수술을 통해 상악과 하악이 이루는 위치 관계가 변하면 교합도 변하게 되기 때문에 술전, 술후 교정이 필요하게 된다. 하지만 정상적인 교합에서 옆면 얼굴 윤곽을 미용적으로 개선하길 바라는 경우라면 교정치료 없이 상악과 하악이 이루는 교합관계를 유지한 상태에서 상하악복합체를 움직이는 턱 교정 수술이 효과적인 수술법이 될 수도 있다. 예를 들면 정상교합을 가진 주걱턱 형태의 얼굴에서 술전 교합 상태를 그대로 유지하면서 상하악복합체를 시계방향으로 회전하는 양악 수술을 하면 교정치료 없이도 주걱턱 얼굴 형태를 개선할 수 있다.

4. 동반되는 미용수술들 (Combined Aesthetic Surgeries)

두개계측방사선검사 술전 분석은 뼈에 대한 분석으로 상악 앞니위치, 입천장의 크기, 상악과 하악의 앞뒤 길이 그리고 턱끝 뼈(chin)의 위치 들을 확인한다. 이 뼈구조물들의 수술 후 위치를 예측하지만 수술로 바뀌어 질 연부조직의 3차원적 변화는 고려하지 못하는 경우가 있다. 뿐만 아니라 양악수술 결과를 드라마틱하게 향상시킬 수 있는 다른 미용 수술도 고려하지 못하기도 한다.

양악수술로 정상적인 교합을 얻는 등 기능적인 측면의 결과를 얻는 것이 무엇보다 중요하지만, 양악수술 후 미용적으로도 최상의 결과를 얻기 위해서는 양악수술과 동반할 수 있는 보조적 미용수술도 중요하다. 이는 두가지 카테고리로 구분할 수 있는데, 첫번째는 양악수술과 동시에 안전하게 예측이 가능하게 시행될 수 있는 것들과 두번째는 양악수술과는 독립적으로 시행될 수 있는 수술법들이다. 이번 챕터에서는 첫번째 카테고리, 즉 양악수술과 같이 시행될 수 있는 수술을 얼굴 뼈윤곽수술과 얼굴 연부조직 윤곽수술로 나누어서 알아보고자 한다.

1) 얼굴뼈윤곽수술(Facial Bone Contouring Surgery)

(1) 하악골

악교정수술을 하려는 환자의 하악골이 크고 하악각이 발달되어 있다면 악교정수술과 하악축소술을 함께 시행할 수 있다.

통상적인 하악축소술에서 사용하는 수술기법에는 하악각을 부드럽게 다듬고 하악 체부(mandibular body)의 하연(lower border)의 경사도를 조절하여 측면에서 보았을 때 갸름하고 부드러운 턱선을 만들기 위한 목적으로 시행하는 긴곡선절제술(long curved ostectomy)과 정면에서 보이는 하안면부의 넓이를 좁히려는 목적으로 시행하는 피질절골술(lateral corticectomy)이 있다.

악교정수술에서 하악의 절골방법을 구강내하악지수직절골술(IVRO: Intraoral Vertical Ramus Osteotomy)로 할 경우에는 피질절골술을 병행하는 데 별다른 문제가 없지만 하악지시상절골술(SSRO: Sagittal Split Ramus Osteotomy)을 시행할 경우에는 하악 체부의 외측피질이 하악의 안정적인 골유합에 중요한 역할을 하기 때문에 피질절골술을 동시에 시행하는 데 제한이 있다. 따라서, 하악지시상절골술을 시행하는 환자에서 정면에서 보이는 하안면부의 폭을 줄이려고 한다면 악교정수술 후 6개월 이상이 지나서 골유합이 충분히 완료된 이후에 하악의 고정판을 제거하는 수술을 하면서 피질절골술을 함께 하는 방법을 고려할 수 있다.

하악지시상절골술과 하악 하연에 대한 긴곡선절제술을 병행할 경우에는 하악지시상절골술을 먼저 시행하고 나서 하악의 근심골편(proximal segment)의 하연을 다듬을 수도 있고 순서를 거꾸로 하여 하악 하연의 긴곡선절제술을 먼저 시행하고 나서 하악지를 시상절골할 수도 있다. 전자의 방법은 하악의 근심골편이 시상면 상에서 수술 전에 비해 회전하지 않은 상태에서 근심골편의 하연과 변화된 원심골편(distal segment)의 하연 사이에 계단현상이 생기지 않게 다듬기를 선호할 때 사용할 수 있는 방법이고, 후자의 방법은 하악의 시상절골을 하고 나서 근심골편과 원심골편을 시상면에서 분리(splitting)하는 과정이 좀더 수월해지는 것을 선호할 때 주로 사용되는 방법이다.

둘 중 어느 경우가 되었든, 하악지시상절골술과 긴곡선절제술을 병행할 때는 긴곡선절제술만 단독으로 시행할 때보다 하악각의 절제량을 적게 해야 수술 후에 하악각 부분이 가파르게 패여보이는 현상이 생기는 것을 방지할 수 있다.

(2) 앞턱

양악수술이나 편악수술로 하악의 전체적인 위치가 이동된 후에 앞턱 부분을 좀더 전진시킬 필요가 있는 경우, 앞턱의 길이 변화가 추가로 필요한 경우, 앞턱 모양의 비대칭을 추가적으로 개선할 필요가 있는 경우 등에서 앞턱수술을 악교정수술과 병행할 수 있고, 특히 미용적 악교정수술에서는 앞턱의 폭을 좀더 갸름하게 하기 위한 목적으로 앞턱수술을 병행하는 경우도 많다.

앞턱의 폭을 축소하는 방법에는 앞턱을 원하는 모양으로 직접 잘라내는 앞턱하연절제술(chin lower border ostectomy)(그림 7-16)과 알파벳의 T자와 유사한 절골을 한 후에 하악 정중부(mandibular symphy-sis)의 뼈를 제거하는 T자형절골술(T-osteotomy)(그림 7-17)이 있는데, 두 가지 방법 모두 많이 사용되고 있는 방법이고 술자의 선호도에 따라 선택하여 사용하면 된다.

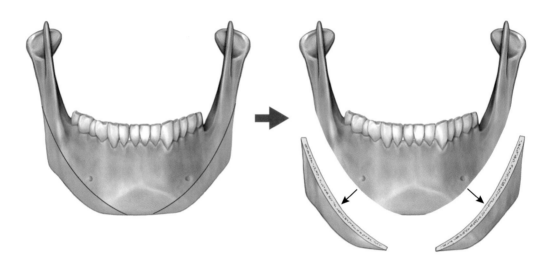

● 그림 7-16. **앞턱하연절제술을 이용한 앞턱폭축소수술.** 앞턱을 원하는 모양으로 직접 절제하여 앞턱의 폭을 줄이는 방법으로서, 긴곡선절제술을 앞턱까지 연장한 개념의 수술방법이다.

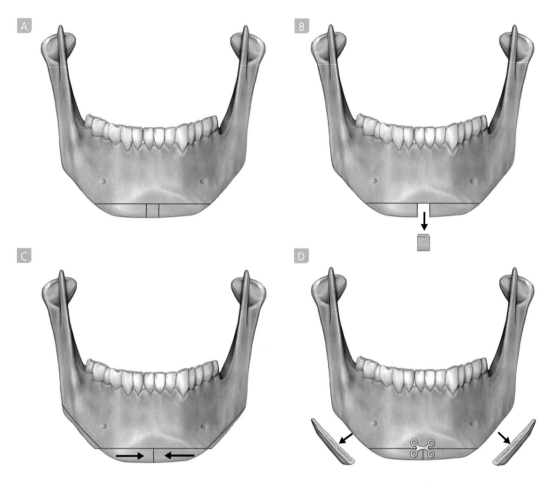

● 그림 7-17. **T자형절골술을 이용한 앞턱폭축소수술. (A)** 앞턱에 1개의 수평절골선과 2개의 수직절골선을 디자인한다. **(B)** 절골을 하고 나면 앞턱에서 3개의 골편이 떨어져나오는데, 그 중에서 가운데 골편을 제거한다. **(C)** 남은 2개의 골편을 중앙으로 모아주면 앞턱과 옆턱 사이에 계단 현상이 생긴다. **(D)** 앞턱과 옆턱 사이에 생긴 뼈의 계단에서 시작하여 하악의 체부와 하악각을 절제하고, 앞턱의 골편은 고정판으로 고정한다.

(3) 광대

동양인의 머리 형태는 좌우로 넓고 앞뒤로는 짧은 중두형(mesocephaly)이 많다. 이 경우 얼굴길이가 짧고 폭이 넓어 광대가 발달되어 있다. 서양인들은 긴 장두(dolichocephaly)가 많아 두상 폭이 좁고 얼굴이 앞으로 돌출되고 코가 발달되어 있으나 광대뼈부위는 밋밋한 경우가 많다.

광대축소술이 필요한 경우 상악 르포 I 얼굴뼈자름술을 완료한 후에 시행한다. 귀 바퀴 앞 절개로 관골궁 뒤쪽부위를 골막하 박리를 한 후 레시프로케이팅(reciprocating) 톱으로 수직절골을 한다. 양악수술의 점막절개를 통해 광대몸통과 관골궁 앞쪽부위를 골막하 박리한다. 광대 몸통에서 부분적으로 과하게 돌출된 부분은 기구로 살짝 갈아 부드럽게 하고 레시프로케이팅(reciprocating)톱으로 안와연 가쪽에서 상악동 전방까지 수직으로 골절개를 한다. 관골상악지지대(zygomaticomaxillary buttress)에서 양악수술시

고정된 부분에 손상이 가지 않도록 플레이트 끝보다 5mm 정도 위쪽에 수평 골절개를 한다. 절골된 관골 골편을 안쪽이동, 후방회전이동, 상방이동시키고 박스형태의 4 hole 마이크로 플레이트로 앞쪽을 고정시 키고 관골궁 뒤쪽 수직절골부위에서 절골된 골편을 안쪽이동, 상방이동 되었는지 확인하고 절골된 부위 에 맞도록 2개 hole의 마이크로 플레이트를 구부린 후 나사로 고정을 단단하게 한다.

볼 처짐은 제한된 박리범위, 절골된 관골골편을 부가적으로 상방 이동시키고 광대 골편 앞뒤 2군데에 플레이트와 나사로 단단하게 고정함으로써 어느정도 예방이 가능하다. 광대수술 전부터에 있었던 볼처 짐은 피부 깊은 층 조직 리프트 수술을 같이 시행하여 호전시킬 수 있다.

동양인의 경우 양악수술과 함께 광대 축소술을 하는 경우가 많지만 Class III 하악전돌증 경우 중안면 부가 꺼지고 밋밋하여 양악수술이나 하악후퇴술을 할때 광대 확대술을 함께 하기도 한다. 실리콘, 고어텍 스, 메드포아 등의 무생물재료 삽입물(alloplastic implant)를 삽입하고 1-2개 나사로 고정하는 수술을 양악 수술과 동시에 하기도 한다. 물론 지방이식이나 필러주사로 윤곽개선을 기대하기도 한다

2) 연부조직윤곽수술(Soft Tissue Contouring Surgery)

좀더 어려보이고 건강해보이면서 예뻐지는 얼굴윤곽을 위해서는 양악수술과는 별개로 눈, 입술, 코 등 연부조직 윤곽을 개선시키는 독립적인 수술을 계획할 수 있지만 양악수술과 같이 안전하게 사용할 수 있는 다음과 같은 연부조직 수술법들로 양악수술 후 좀더 드라마틱한 미용적인 결과를 기대할 수 있다.

(1) 지방흡입 – 양악수술과 동시에 턱끝밑, 턱라인, jowl 등에 적용할 수도 있다.

(2) 아큐레이져 –이중턱 개선, 볼처짐 개선, 선명한 턱라인을 원하는 경우 양악수술과 동시에 시행할 수도 있다.

(3) 리프트 –볼살처짐, jowl, 목턱끝각을 개선하기 위한 수술은 양악수술과 동시에 시행할 수도 있다. 볼살처짐과 jowl은 심부조직이 처진(drooping) 것이므로 피부 리프트 만으로는 만족스러운 결과를 기대하기 어려워 피부 깊은 층의 조직을 함께 리프트 하는 방법의 사용을 추천한다. 목턱끝 각의 개선을 위해서는 턱끝밑 지방흡입, 목, 안면거상술 등을 사용하기도 한다.

(4) 지방이식이나 필러주입 – 양악수술 후 결과 예측에 익숙한 경우라면 양악수술과 동시에 이마, 관 자놀이, 눈밑 아래 꺼진 부위 등 수술부위와는 연결되지 않는 부위와 턱끝에 지방이나 필러를 주입 하여 윤곽개선을 기대해볼 수 있다. 반안면왜소증, 패리-롬버그(Parry-Romberg)증후군, 얼굴길림 증(facial clefting)등 연부조직이 비정상적인 경우 또는 뼈, 연부조직의 윤곽이 매끄럽지 않은 경우 에 특히 지방이식은 아주 강력한 해결책이 된다. 입술, 인중, 입주변 조직, 팔자주름 등에 부위에 대 한 지방이식이나 필러주입은 양악수술과 동시에 또는 별개로도 시행할 수 있다.

📑 참고문헌

1. 대한구강악안면외과학회. 구강악안면외과학교과서 2nd ed. 의치학사. 2005.

2. 대한미용성형외과학회. 미용·성형외과학. Chapter 18. Mandible Reduction. 군자출판사. 2014.

3. 대한악안면성형재건외과학회. 악안면성형재건외과학. 의치학사. 2003.

4. 박형식, 허진영. 구내 하악골 상행지 수직 골절단술 후 기능적 물리치료에 대한 적응도 및 개교합 성향. 대한구강악안면외과학회지, vol23, no1:27-33, 1997.

5. 이병인, 박형식. 하악전돌증 환자의 구내 하악골상행지 수직골절단술 후 골절편들의 장기 형태개조에 관한 임상적 연구. 대한구강악안면외과학회지, vol22, no1:70-85, 1996.

6. 이상휘, 박형식. 성견 하악골 상행지 수직 골절단술후 조기 기능시의 골치유에 관한 연구. 대한구강악안면외과학회지, vol23, no1:434-57, 1997.

7. Aziz S, Simon P: Hulihen and the origin of orthognathic surgery, J Oral Maxillofac Surg 62:1303-7, 2004

8. Bays ra, Reinkingh MR, Maron G: Descending palatine artery ligation in Lefort I osteotomy, J Oral Maxillofac Surg 51:142, 1993

9. Bell WH: Revascularization and bone healing after total maxillary osteotomy, J Oral Maxillofac Surg 33:253, 1975

10. Bishara SE, Chu GW: Comparision of postsurgical stability of the Lefort I maxillary impaction and maxillary advancement, Am J Orthod Dentofacial Orthop 102:335, 1992.

11. Borba AM, Borges AH, Cé PS, Venturi BA, Naclério-Homem MG, Miloro M. Mandible-first sequence in bimaxillary orthognathic surgery: A systematic review. Int J Oral Maxillofac Surg. 45:472-5, 2016

12. Brunso J, Franco M, Constantinescu T, Barbier L, Santamaría JA, Alvarez J. Custom-machined miniplates and bone-supported guides for orthognathic surgery: A new surgical procedure. J Oral Maxillofac Surg. 74:1061.e1-1061.e12. 33, 2016

13. Carroll WJ, Haug RH, Bissada NF, Goldberg J, Hans M: The effects of the LeFort I osteotomy on the periodontium, J Oral Maxillofac Surg 50:128-32, 1992

14. Demas PN, Sortereanos GC: Incidence of nasolacrimal injury and turbinectomy associated atrophic rhinitis with LeFort I osteotomies, J Craniomaxillofac Surg 17:116, 1989.

15. De Mol van Otterloo JJ, Tuinzing DB, Kostense P: Inferior positioning of the maxilla by a Lefort I osteotomy: a review of 25 patients with vertical maxillary deficiency, J Crniomaxillofac Surg 24:69, 1996.

16. Emshoff R, Kranewitter R, Gerhard S, et al: Effect of segmental Le Fort I osteotomy on maxillary tooth type-related pulpal blood flow characteristics, Oral Surg Oral Med Oral Pathol Oral Radiol Endod 89:749-52, 2000.

17. Epiker BN, Turvery T, Fish LC: Indications for simultaneous mobilization of the maxilla and mandible for correction of dentofacial deformity, Oral Surg Oral Med Oral Pathol 54:369, 1982. Turvey T, Hall DJ, Fish LC, Epker BN: Surical Orthodontic treatment planning for simultaneous mobilization of the maxilla and mandible I the correction of dentofacial deformities, Oral Surg Oral Med Oral Pathol 54:491, 1982

18. Fattahi T: Management of isolated neck deformity, Atlas Oral Maxillofac Surg Clin North Am, 12: 261-70, 2004

19. F. R. L. Sato, L. Asprino, P. Y. Noritomi, J. V. L. da Silva, M. de Moraes. Comparison of five different fixation techniques of sagittal split ramus osteotomy using three-dimensional finite elements analysis. Int. J. Oral Maxillofac. Surg. 2012; 41.

20. Hedemark A, Freihofer HP: The behavior of maxilla in vertical movements after Lefort I osteotomy, J Maxillofac Surg 6:244, 1978

21. Hernández-Alfaro F, Guijarro-Martínez R, Peiró-Guijarro MA. Surgery first in orthognathic surgery: What have we learned? A comprehensive workflow based on 45 consecutive cases, J Oral Maxillofac Surg. 72:376-90, 2014

22. Heung Sik Park, M.D., Ph.D., Seung Chul Rhee, M.D., So Ra Kang, M.D., Ph.D., and Ji Hyuck Lee, M.D: Harmonized Profiloplasty Using Balanced Angular Profile Analysis, Aesth. Plast. Surg. 28:89-97, 2004

23. Kawakami M, Yamamoto K, Fujimoto M, et al: Changes in tongue and hyoid positions and posterior airway spaces following mandibular setback surgery, J Craniomaxillofac Surg 33:107, 2005.

24. Kramer FJ, Baethge C, Swennen G, Teltzrow T, Schulze A, Berten J, Brachvogel P: Intra- and perioperative complications of the LeFort I osteotomy: a prospective evaluation of 1000 patients, J Craniofac Surg 15:971, 2004

25. Krekmanov L, Kahnberg KE: Transverse surgical correction of the maxilla: modified procedure, J Craniomaxillofac Surg18:332-4, 1990

26. Lanigan DT, Hey JH, West RA: Aseptic necrosis following maxillary ostetomies: report of 36 cases, J Oral Maxillofac Surg 48:142-56, 1990

27. Lanigan DT, West RA: Management of postoperative hemorrhage following the Lefort I maxillary osteotomy, J Oral Maxillofac Surg 42:367,1984.

28. Louis PJ, Cuzalina: Alloplastic augmentation of the face, Atlas Oral Maxillofac Surg Clin North Am, 8: 127-91, 2000

29. Marx RE, Ehler WJ, Tayapongsak P, Pierce LW: Relationship of oxygen dose to angiogenesis induction in irradiated tissue, Am J Surg 160:519-24, 1990.

30. Obwegeser H: Eingriffe an Oberkiefer zur Korrektur des progenen, Zahnheik 75:365, 1965.

31. Park HS: Application of ASO in mouth protrusion, Aesthetic Plastic Surgery 2014, Seoul, Korea.

32. Pepersack WJ: Tooth vitality after alveolar segmental osteotomy, J Maxillofac Surg 1:85, 1973

33. Perez D, Ellis E III. Sequencing bimaxillary surgery: Mandible first. J Oral Maxillofac Surg, 69:2217–2224, 2011

34. Philips G, Medland WH, Fields HW Jr, Proffit WR, White RP Jr: Stability of surgical maxillary expansion, int J Adult Orthodon Orthognath Surg 7:139, 1992. Wolford LM, Rieche-Fischel O, Mehra P: Soft tissue healing after parasagittal palatal incisions in segmental maxillary surgery: a rieview of 311 patients, J Oral Maxillofac Surg 60:20, 2002

35. Profitt WR, White RP, Sarver DM: Adjunctive esthetic surgery. In: Contemporary treatment of dentofacial deformity. St.Louis(MO): Mosby: 2003

36. Sanjay Naran, M.D. Derek M. Steinbacher, D.M.D., M.D. Jesse A. Taylor, M.D. Current Concepts in Orthognathic Surgery, Plast Reconstr Surg. 141(6): 925e–936e, 2018

37. Steinbacher DM, Kontaxis KL. Does simultaneous third molar extraction increase intraoperative and perioperative complications in orthognathic surgery? J Craniofac Surg. 27:923–6, 2016.

38. Tae Sung Lee, M.D. Sanghoon Park, M.D., Ph.D.: Clockwise Rotation of the Occlusal Plane for Aesthetic Purposes by Double Jaw Surgery without Orthodontic Treatment, Plast. Reconstr. Surg. 144: 1010e, 2019

39. Tirbod Fattahi, DDS, MD, FACS: Aesthetic Surgery to Augment Orthognathic Surgery, Oral Maxillofac Surg Clin N Am 19: 435-47, 2007

40. Yang L, Xiao YD, Liang YJ, Wang X, Li JY, Liao GQ. Does the surgery-first approach produce better outcomes in orthognathic surgery? A systematic review and meta-analysis. J Oral Maxillofac Surg. 75:2422–9, 2017

41. You ZH, Bell WH, Finn RA: Location of the nasolacrimal canal in relation to the high LeFort I osteotomy, J Oral Maxillofac Surg 61:72, 2003

42. Yuhji Kabasawa, DDS, PhD, Masaru Sato, DDS, PhD, Tsuyoshi Kikuchi, DDS, Yuriko Sato, DDS, PhD, Yukiko Takahashi, DDS, Yusuke Higuchi, DDS, PhD, and Ken Omura, DDS, PhD. Analysis and comparison of clinical results of bilateral sagittal split ramus osteotomy performed with the use of monocortical locking plate fixation or bicortical screw fixation. Oral Surg Oral Med Oral Pathol Oral Radiol 2013;116:e333-e341.

43. Wassmund M: Lehrbuch der praktischen Chirurgie des Mundes und der Kiefer, Leipzig, 1935.

44. Wolfe SA: Gunther Cohn-Stock, M.S., D.D.S., farther of maxillary orthognathic surgery, J Craniomaxillofac Surg 17:331-4, 1989

45. Wolford LM, Riche-Fischel O, Mehra P: Soft tissue healing after parasagittal palatal incisions in segmental maxillary surgery: a review of 311 patients, J Oral Maxillofac Surg 60:20-5, 2002

46. Wunderer S: Erfahrungen mit der operative Behandlung hochgradiger prognathien, Dtsh

47. Zahn Mund Kieferheilkd 39:451, 1963.

CHAPTER 08

미용양악수술 후 관리

Management of Patients after Aesthetic Two-Jaw Surgery

| 최영달, 이명희 |

1. 수술 직후 회복실에서의 관리

1) 일반상황

대부분 수술 후 환자는 마취 상태에서 회복하는 것이 비교적 안정적이다. 환자가 회복실에서 머무는 목적은 수술방에서 머무는 시간을 단축함으로써 수술방을 효율적으로 사용할 수 있으며 환자가 지속적인 바이탈 감시와 철저한 관리를 통하여 안전하게 마취와 진정 상태에서 회복되어 감시장치가 없는 병동으로 이동하는데 있다.

2) 회복실로의 이동

마취과의사는 환자의 호흡상태와 맥박을 감시하면서 환자를 수술실에서 회복실로 운반한다. 환자의 머리를 조금 올리거나 머리를 옆으로 젖혀서 최대한 기도를 확보하면서 환자를 이송한다. 마취과의사가 운반차의 뒤에서 환자의 머리 쪽에 서서 환자의 얼굴을 보면서 이동하면 저산소증이나 가슴 움직임을 관찰할 수 있을 뿐만 아니라 환자와 이야기를 시도할 수도 있다. 또한 환자의 산소화 상태와 폐환기 정도 및 의식 상태를 판단할 수 있다.

3) 회복실에서의 환자에 대한 인계

회복실 담당 의사나 간호사에게 인계할 사항

(1) 나이, 체중, 수술 전 진단, 수술명칭, 마취방법

(2) 수술중 vital sign과 특이사항

(3) 수액투여량, 수혈량, 출혈량, 소변량

(4) 근이완제의 투여량과 현재의 근이완 상태

(5) 현재 의식회복 상태

(6) 회복실에서 처치할 사항

이상에 대한 인계를 마치고 환자의 처음 혈압과 맥박, 호흡수를 확인하고 떠난다.

2. 입원 기간의 회복과 관리

1) 전신상태 관리

(1) 저혈압

저혈압의 원인으로는 심실전부하의 감소, 심근수축력의 저하, 전신혈관저항의 감소 등이 있다. 마취제의 잔류효과에 의하여 혈관확장이나 심근수축력 저하가 지속될 수 있다. 심실전부하의 감소는 대개는 수액의 불충분한 보충으로 인한 저혈량 때문이다. 저혈량증은 혈압, 심박수. 소변량 등으로 진단할 수 있다. 양악수술도 성형외과 수술인만큼 중심정맥압카테타를 거치하지 않고도 수액과 혈관수축제를 적절하게 함께 사용하여 저혈압을 교정함으로써 과순환상태를 예방한다. 일반적으로 저혈량증이 의심되면 수액 200ml를 10분동안 주입한 후 20분뒤에 혈압과 심박수의 변화를 관찰하고 소변량의 변화도 함께 보면서 저혈량증을 확인할 수 있다.

(2) 고혈압

수술 후 혈압이 고혈압인 경우가 많은데 원인은 통증이나 고탄산혈증, 수액의 과다 투여, 방광팽창(소변줄이 있는 경우는 소변줄의 뇨도자극), 흥분 또는 소란 등이다. 수술 후 고혈압은 반수 이상은 특별한 처치가 없어도 1시간 이내에 회복된다. 지속적인 고혈압은 원인에 따라 처치하되 자극은 최대한 피하고 필요에 따라 적당한 혈관확장제를 정주할 수도 있다. 필요하면 α수용체 차단제(urapidil(10-15 mg,정주))를 사용할 수도 있다.

(3) 심부정맥

수술 후에 생기는 부정맥의 원인은 통증, 저산소혈증, 고탄산혈증, 전해질 불균형, 저체온증 등이다. 동성빈맥은 특별한 치료가 필요 없으나 비 동성 심실상성 부정맥은 치료가 필요하겠다. 원인을 파악하고 처리하는 동시에 esmolol(10-20 mg)을 정주한다. 동성 서맥의 원인은 저산소혈증, 저체온증, 근이완 대항

제 등 약제일 수 있겠다. 서맥은 산소투여와 함께 atropine(0.3-0.5 mg)을 정주함과 동시에 서맥의 원인을 최대한 빨리 찾아서 처리해주어야 한다. 심실조기수축이나 심방조기수축도 수술 후에 가끔 볼 수 있는 부정맥이다. 저산소혈증, 고탄산혈증, 산염기 불균형, 전해질 불균형 등이 원인이 될 수 있으므로 원인을 제거해주면 해결할 수 있다. 필요하면 lidocaine(1-1.5 mg/kg)을 정주한다.

(4) 감뇨증(oliguria;0.5ml/kg/hr), 혈뇨, 급성요축적(acute urinary retention)

술후 감뇨증의 원인은 저혈량증 ,저혈압, 항이뇨호르몬의 증가 등이다. 감뇨증의 원인을 잘 파악하고 원인에 따른 처치를 한다. 혈뇨는 대개 카테터 삽입에 의한 요도 손상이 원인이 된다. 급성 요축적은 요도 카테터를 수술 중에만 거치하고 수술 뒤에 제거한 남자 환자에서 볼 수 있다. 원인은 환자가 완전히 각성하지 못했거나 수술 기간에 사용된 부교감신경억제제가 방광근육의 수축을 부분적으로 억제하기 때문이다. 하복부에 온찜질을 20-30분 정도 해주면 대부분 좋아지지만, 그렇게 해도 효과가 없으면 다시 카테터를 삽입한다.

(5) 저체온, 떨림

저체온의 가장 흔한 원인은 수술실이나 회복실의 에어컨 사용이다. 수액이나 혈액은 온도를 높여서 주며 수술이 끝나기 전에 수술방 온도를 높이거나 회복실 온도를 높여주되 저체온이 고체온으로 전환되는 것을 방지하기 위하여 정상체온 회복 전에 가온을 중단시켜야 한다. 떨림은 환자가 추위를 느끼는 것이 원인으로 체온저하에 대한 정상적인 반응이다. 산소를 투여하면서 tramadol(25 mg)을 정주하면 효과를 볼 수 있다. 대다수 떨림은 1-2시간 뒤에 저절로 멈춘다.

(6) 고열, 악성 고열증

수술 후 대다수 환자는 저체온으로 표현되지만 가끔은 고체온도 볼 수 있다. 그 원인은 감염, 수액 및 수혈반응, 갑상선기능항진, 아주 드물게는 악성 고열증으로 인한 것일 수 있다. 원인을 알 수 없을 때는 일단 온수로 적신 수건으로 몸을 닦아준다. $PaCO_2$가 지나치게 높으면 악성 고열증을 의심해 볼 필요가 있다. 악성 고열로 판단되면 dantrolene(2.5 mg/kg)을 정주하는데, dantrolene은 보통 20 mg 분말과 60 ml 용매가 서로 분리된 상태로 공급된다. 체중이 50 kg인 환자의 경우 총 125 mg의 dantrolene을 투여해야 하므로 20 mg 단위로 제공되는 dantrolene 7병을 용매에 섞어 용액 형태로 조제해야 하는데 이런 조제 과정에 소요되는 총 시간을 절약하기 위해 여러 명의 인원을 동시에 투입하여 필요한 양이 단시간에 조제될 수 있도록 해야 한다.

(7) 구역(nausea), 구토(vomiting), 흡인(aspiration)

수술 후 구토의 원인은 위팽창, 인두자극, 마취 전 투약이나 마취 중에 사용한 아편유사제, 술후 항생제 사용, 저혈압, 환자가 기침하거나 몸부림 칠 때, 위장도가 좋지 않은 환자 등으로 다양하다. 위팽창은 수술 전 섭취한 음식물과도 연관이 있고 수술과 마취는 위장의 유동을 억제하며 따라서 공기와 위액, 기타 내용물로 인하여 위장도 장력이 감소한다. 수술이 끝나고 마취에서 깨기 전에 위 내에 위튜브를 넣어서 위 안의 공기를 제거시켜 주고 수술 중에는 거즈로 인두를 막아주어 혈액이 위 내로 들어가는 것을 막아주는 것이 바람직하다. 환자가 깨어 있는 상태에서 깊은 인두 흡입은 구역과 구토를 유발하므로 권장하지 않는다. 환자가 삼킬 수 있으면 최대한 삼키도록 교육시킨다. 보통은 수술 전 환자를 방문할 때 구강내 분비물은 제때에 삼키는 것이 편하다고 환자에게 미리 말해준다. 위 내용물의 흡인(aspiration)이 발생하면 Mendelson Syndrome을 일으킬 수 있다. 필요하면 기관내삽관을 하여 기관내 흡인을 하고 양압호흡을 시키는 동시에 스테로이드, 기관지확장제, 거담제 등을 정주하여 기도폐쇄를 완화시킨다.

2) 창상관리 (Wound Management)

넓은 피판 박리, 골절단과 골편 이동에도 불구하고, 통상적인 조건에서 구강내 연조직 창상관리는 어려운 편이 아니다. 그러나 제한된 턱 움직임, 연하곤란, 수술직후 상당한 구강점막 부종 및 삼출물 등의 출현, 양악수술 후의 비호흡 곤란과 필연적인 구호흡 의존에 환자는 매우 힘들어하며 스스로 창상을 관리할 수 없게 된다. 창상이 안정화되기까지는 최소한 약 2주간의 시간이 소요되는데, 첫 1주간은 다음과 같은 부분에 있어 의료진의 주의 깊은 관찰이 요구된다.

(1) 출혈과 혈종(post-op bleeding and hematoma)

악교정수술(orthognathic surgery)의 특성상 수술 후 일정기간 피하출혈이 발생할 수 있다. 대개 1주일이 지나면서 점차 회복되지만 명백한 부종, 붉은 색의 많은 양의 출혈이 지속된다면 2차 출혈을 의심하고 빨리 조치를 취해야 한다. 단순한 피하출혈이라도 혈병이 각종 구강내 장치물에 부착되면 기계적 자극으로 창상이개와 추가 감염의 원인이 될 수 있고 환자의 오심을 유도하거나 초기 적응을 어렵게 하므로 조심스럽게 세척해주는 것이 좋다. 봉합사와 얽혀 있는 경우 무리해서 제거하려고 하면 매듭이 풀리거나 봉합사가 탈락되면서 불필요한 창상이개와 추가 출혈이 발생하므로 가벼운 생리식염수 세척을 자주 하는 것이 바람직하다. 간혹 점막에 심한 출혈반이 생기면 혈종을 고려해야 한다. 보통 혈종은 자연스럽게 흡수되지만 배농(drainage)과 초기 창상 조직 치유에 방해가 되며, 감염원으로 작용할 수 있기에 제거하는 것이 바람직하다.

(2) 창상이개(wound disruption)

긴장성 봉합, 부적절한 매듭, 창상부위 감염및 훼손에 의한 조직 손상, 비정상적인 출혈, 이물질 개재 등에 의해 봉합부가 벌어질 수 있다. 상악 수술에서는 비정상적인 출혈이나 혈종, 심각한 치은 조직 훼손 등이 아니라면 창상이개 가능성은 크지 않다. 이에 반해 하악 수술 시 경험이 부족한 수술자는 종종 잘못된 절개선으로 말미암아 봉합 시 장력이 발생하기 쉽다. 매듭이 봉합선상에 놓이거나 제대로 완성되지 않으면 이물질이 쉽게 부착하고 창연 염증을 유발하면서 결국 치유지연으로 이어진다. 드물지만 1주 이내에 창상이개와 함께 주변 조직의 감염 증상이 관찰된다면, 항생제 처방과 의료진의 매일 소독과 세척, 환자에게 강력한 구강위생관리 교육을 시행한다. 창상이개의 범위가 크지 않고 염증 소견 등이 없다면 자연적 회복을 기대할 수 있다. 그러나 벌어진 범위가 지나치게 넓고, 내부 골표면의 뚜렷한 노출과 불량한 환자의 위생관리 등으로 감염이 우려된다면 재봉합을 하는 것이 바람직하다.

(3) 비삼출(nasal discharge)

상악 수술을 시행한 경우, 비점막 손상에 의한 심부 삼출물 뿐만 아니라 상악동 내의 혈병이 용해되면서 삼출물이 발생하기도 한다. 비삼출은 특별히 창상 회복에 큰 문제를 야기하지 않지만, 구호흡에 의존해야 하는 환자에게는 큰 공포감을 유발시킬 수 있다. 비점막의 부종을 방지하기 위해 비삽관(nasal airway)을 삽입하였다면 비삼출에 의해 폐색되기도 한다. 이는 비호흡 전환을 방해하고 환자의 공포와 비점막 자극을 유도하므로 흡인기로 조심스럽게 제거하는 것이 필요하다.

(4) 허혈성괴사(avascular necrosis)

허혈성 괴사는 전방분절골절단술(ASO)이나 구순구개열 환자의 분절 골편에의 혈류 공급이 불량할 때 발생할 수 있다. ASO의 경우, 보통 하악은 이설골근과 이설근이 부착된 피판의 혈류 공급으로 치명적인 문제는 발생하지 않는다. 상악은 ASO시에 잘못된 치은 절개선의 설계와 훼손, 긴장성 봉합, 과도한 치조골 소실 등으로 혈류 공급이 차단되어 분절 골편의 괴사나 누공을 초래할 수 있다. 구비강 누공(oronasal Fistula) 역시 비슷한 과정의 결과이다. 조직의 괴사와 누공 등이 발견되는 시점에서는 회복되기가 매우 어렵기 때문에 반드시 수술 중에 해결해야 한다.

(5) 이물질 저류, 구강위생관리(oral hygiene management)

악교정수술 후 1주일간 환자는 최소한의 턱 운동만이 가능하고, 악간고정까지 시행되었다면 턱 움직임마저 기대하기 어렵다. 더구나 구호흡 의존이 심화되고, 오심과 구토, 동통, 부종에 의한 구강폐색, 삼출물 등으로 인해 환자는 정상적인 구강위생관리를 할 수 없게 된다. 수술직후 1주일 동안은 유동식(liquid diet)을 섭취하게 되는데, 많은 음식물이 약간의 점액성으로 폐색 환경에 가까운 구강내에서 쉽게 세척되지 않는다.이와 같은 음식물이 봉합사에 부착되거나 벌어진 창상 사이에 침투하게 되면 추가 감염 가능성이 높아진다 .따라서 환자에게 철저한 구강위생 관리법을 교육하고 매일 생리식염수로 세심한 세척을 실시하는 것이 좋다.

3) 기도관리 (airway management)

(1) 상기도 폐쇄

마취에서 회복되는 기간에 의식이 완전히 회복되지 않은 상태에서 기도폐쇄의 제일 흔한 원인은 혀가 구강 뒤로 쳐지거나 구강 분비물이나 구토물로 인한 인두폐쇄, 또는 후두경련이다. 후두경련은 많은 분비물이 성문을 자극하거나 분비물을 흡입할 때 생길 수도 있다. 후두폐쇄가 발생하는 빈도가 흔하지는 않지만, 만약 발생한다면 아래와 같이 처치할 수 있다.

① 분비물이나 구토물은 콧구멍을 통해 부드럽게 흡인하되 깊은 인두흡인은 조심해야 한다. 흡인 뒤 머리는 담당간호사를 향하게 돌려 놓는다.

② 경비기도유지기를 삽입한다.

③ 이상의 방법으로 기도유지가 안될 경우에는 굴곡성 후두경을 이용하여 경비기관내 삽관을 한다.

④ 상부기도가 완전폐쇄되면 윤상갑상막을 천자한다. 회복실에는 항상 기도유지기와 튜브 및 윤상갑막천자 세트를 준비해둔다.

(2) 저산소혈증

수술직후 저산소혈증의 원인은 흡입마취제와 아편유사제 또는 근이완제 등 전신마취제의 잔류효과에 의한 저환기, 기도폐쇄, 폐내우좌션트, 저혈압, 산소소모량 증가 등이다. ABGA소견상 $PaO_2 < 60$ mmHg이면 저산소혈증으로 진단할 수 있다. 저산소증은 호흡곤란, 청색증, 흥분, 소란, 의식장애, 고혈압, 심부정맥 등으로 표현될 수 있다.

저산소혈증의 발생원인:

① 무기폐

폐내기능잔기량이 감소한 결과이다. 수술 후 24-48시간에 잘 발생한다. 가습된 산소 투여, 심호흡이나 기침, 환측 와위를 취한다든지, Ambu-bag으로 일회호흡량의 지속양압유지 등 방법을 통하여 해결할 수 있다.

② 저환기

폐포폐쇄가 저산소혈증과 폐포속의 CO_2 장력을 증가시키기 때문이다.

③ 흡입마취제의 잔류효과에 의한 산소부족

④ 상기도 폐쇄

⑤ 구강내 분비물이나 구토물로 인한 흡인

⑥ 폐부종 (pulmonary edema)

수술 전에 심혈관계 문제가 있었던 사람이나 폐모세혈관 통과성의 증가가 중요한 원인이 된다.

⑦ 폐색전증 (pulmonary embolism)

3. 능동적 물리치료 (Active Physiotherapy)

악교정수술 환자는 일정기간 악간고정(intermaxillary fixation)을 거쳐 턱운동을 시작하게 된다. 절골방식과 고정방법에 따라, 악간고정 유무와 방법 등은 의료진마다 조금씩 차이가 있으나, 수술 직후 불필요한 턱 움직임을 일부 제한한다는 점에서 크게 다르지 않다. 그러나 하악 운동기능 회복을 위한 물리치료는 특별한 의미를 가지고 있다. 의료진은 하악 수술을 시행한 환자에게 반드시 능동적 물리치료(active physiotherapy)를 교육하고, 그 과정을 면밀히 관찰해야 한다. 수술 후 변화된 하악과두 위치는 불안정할 뿐만 아니라 회복 초기 주변 저작근의 기능적 작용에 큰 영향을 받는다. 이러한 양상은 단순히 턱과 저작근의 움직임에 국한되지 않는데, 수술의 1차적 목표인 정상 교합 구현과 더불어 장기적으로는 턱관절 안정화, 회귀현상 예방 그리고 심미성 유지에 그 의미가 있다. 따라서 이 장에서는 대표적인 하악 수술 방법으로 이용되고 있는 하악골 상행지 시상분할 골절단술(SSRO, Sagittal Split Ramus Osteotomy)과 구내 하악골 상행지 수직골 절단술(IVRO, Intraoral Vertical Ramus Osteotomy) 후의 물리치료 방법에 대해 알아보고자 한다.

(1) 하악골 상행지 시상분할 골절단술(SSRO) 후의 능동적 물리치료

근래 SSRO 고정은 금속판과 고정나사 방법(monocortical miniplate fixation)과 나사못 단독 이용(bi-cortical fixation)법이 선호된다. 일반적으로 골편간 강성고정(rigid fixation)을 하였다면 악간고정은 하지 않는다. 강성고정은 초기 골접촉면을 안정적으로 유지한다는 측면에서 매우 효과적이지만, 고정 과정에서 과두 변위와 회전이 종종 발생하고 이를 완벽하게 예측하는 것이 불가능하다. 따라서 조기에 과두가 정상위에 재위치 되게끔 유도하기 위해 주변 조직계를 활성화하는 것이 보다 바람직하다. 환자가 기능 회복 운동을 충분히 습득하고 스스로 운동량을 관리할 수 있을 때까지는 교정용 고무줄(orthodontic elastics)을 이용하여 조절해 주는 것이 필요하다. 수술 후 약 1주일은 고무줄(elastics) 1 / 4 ˝ (6.4 mm)을 걸어 최소한의 개구운동을 교육하고, 2주일부터는 동일한 직경의 고무줄이나 한단계 더 큰 고무줄을 적용하면서 운동량을 증가시킨다. 기본적으로 개구, 전진, 좌우 측방 이동을 교육하는데 운동 경로, 범위, 변화량, 개폐구 유지 정도 등을 측정한다. 만일 운동 경로에 있어 편향되는 경향이 있다면 대응하는 방향으로의 운동을 지도하고, 개교합이 관찰된다면 약 3일 내외의 강한 악간고정(rigid intermaxillary fixation)으로 통제한다. 단, 조급한 운동량 증가는 관절부와 저작근계의 경직과 동통을 유발할 수 있으므로 수술 내용과 환자 적응력에 맞춰 조절한다. 약 4주에 접어들어 발음과 부드러운 음식(soft diet) 저작, 턱관절부위 통증 등에 문제가 없다면 수술 후 교정치료를 위해 의뢰한다.

(2) 하악골 상행지 수직골 절단술(IVRO) 후의 운동기능 회복

하악골전돌증(mandible prognathism) 사례의 IVRO 수술에서는 특별히 고정을 하지 않는다. 하악과두의 생리적 평형위(physiologic equilibrating position)로의 재위치와 자연스러운 골개조 과정이 가능하기 때문이다. 대신 악관절강 내의 과두와 근원심 골편에 부착된 근육의 회복과 적응 그리고 골편간 초기 골유합을 위한 안정적 접촉 유지 등을 위해 약 2주 내외의 강한 악간고정이 필요하다. 악간고정을 제거하고 첫 1주차에는 양쪽 상악 견치와 하악 소구치부에 교정용 고무줄 3 / 16 " (4.8 mm)을 걸고 최대 개구, 전방이동, 좌우 측방이동을 각각 3 - 5회씩 1시간동안 반복하되, 반드시 이동간에 폐구가 정확하게 되는지 확인하도록 한다. 운동을 하지 않을 때와 취침 중에는 악간고정을 유지한다. 2주차에는 매 2시간 운동과 1시간 악간고정을 하고, 3주차부터는 개방교합 여부에 따라 교합상(wafer) 제거를 결정하고 턱 운동과 악간고정 시간을 조정한다. 만일 개방교합이 초기에 관찰된다면 망설임 없이 강한 악간고정을 약 5일 내외로 실시하면서 물리치료 단계를 처음부터 재시작한다. 골치유와 근육 적응 과정을 고려하였을 때, 개방교합에 대한 대응이 늦을수록 비수술적 복구 가능성은 기대하기 어렵다. 4주차에 특기할만한 개방교합이 관찰되지 않고 계획하였던 운동량에 도달하였다면 마무리 교정치료를 위해 의뢰한다.

4. 수술 후 주의사항 교육

악교정수술을 시행받은 환자에게 교육시키는 주의사항은 악간고정 관리, 위생관리, 식사방법, 부기관리, 취침자세 등이다. 악교정수술을 시행 받은 환자는 기본적으로 제한된 턱 움직임, 구강내 출혈, 연하곤란, 비호흡곤란, 비삼출물과 점액저류, 오심, 구토, 동통, 부종 등의 환경에 놓이게 된다. 이러한 증상은 보통 1주일 이내에 회복되지만 환자가 미처 준비하지 못하면 당황하게 되면서 회복이 지연될 수 있다. 따라서 환자가 경험하게 될 과정을 정확하게 설명하여 사전에 충분히 이해하고 수용할 수 있도록 하는데 교육의 의의가 있다.

(1) 악간고정 관리 지도

상술하였듯이 SSRO에서는 강성고정 후에는 강한 악간고정을 시행하지 않는다. 다만 회복 초기 불필요한 움직임을 예방하는 차원에서 직경이 큰교정용 고무줄 1 / 4 ″ (6.4 mm) - 5 / 16 ″ (7.9 mm)로 조절해주기도 한다. 고무줄을 좌우상악 견치에서 하악 소구치 방향으로 한 개씩 걸고 환자 스스로 턱 운동이 가능한지를 관찰하고 정확한 위치를 확인시킨다. 갑작스러운 오심, 구토, 구역반사(gagging reflex) 등이 발생하면 준비된 기구를 이용하여 고무줄을 풀고 의료진을 호출하게끔 약속한다. IVRO에서는 강한 악간고정을 하기 때문에 더욱 엄격하게 환자를 주의시키는 것이 필요하다. 주변에 고무줄 제거기구 등을 준비하고, 고무줄의 위치와 개수, 제거하는 방법 등을 시범하고 환자가 따라 할 수 있도록 가르친다. 간혹 하품이나 재채기로 인해 악간고정이 풀어지고 턱이 흔들릴 수 있는데, 교합상에 자연스럽게 물리지 않는다면 임의적으로 조절하지 말고 반드시 의료진을 호출할 것을 지시해야 한다. 악간고정 여부와 관계없이 어떤 경우라도 응급상황에서 환자가 자의적으로 판단하지 않도록 하는 것이 가장 중요하다. 이처럼 악간고정은 본래의 수술 목적 완성과 안전 위해라는 역설적 측면을 가지고 있으므로 초기 환자 지도에 있어 매우 중점적으로 관찰해야 한다.

(2) 위생관리 지도

수술 후 구강내 상태는 정상적인 위생관리가 어려운 조건이다. 혈액 응고물과 삼출물이 구강내 장치에 복잡하게 얽혀 있고 오심을 유도하기 때문에 환자는 더욱 피로를 느끼게 된다. 수술 1일째에 환자는 식음을 할 수 있는데, 빨대 등을 이용하는 것은 구강내 출혈을 유발할 수 있으므로 창상이 완전히 치유가 될 때까지 금지시켜야 한다. 5 ml 의 일회용 주사기에 직경이 맞는 실리콘 튜브를 연결하여 환자가 구강내로 음료를 넘길 수 있도록 하는 것이 유효하다. 스스로 식음이 가능하다면 소독액으로 세척을 할 수 있도록 지도한다. 단, 소독액의 인후두부 자극은 환자의 구역반사를 초래하기도 하므로 환자가 어려움을 호소한다면 강권하지 말고 생리식염수 세척을 교육한다. 구강내 세척은 초기 1일 3회 정도 하고 점차 환자의 심신 상태가 회복되면 자주 하도록 독려한다. 이와 같은 구강내 세척은 약 1개월 동안 규칙적으로 시행하는 것이 좋다.

(3) 식사방법 지도

SSRO 후에는 제한적이나마 조기에 턱 움직임과 연하가 가능하므로 식음과 동시에 유동식을 섭취할 수 있다. 유동식 섭취는 구강 세척 방법과 동일한데, 5 ml 의 일회용 주사기를 이용하여 음식물을 구강내에 넣고 조금씩 삼키도록 교육한다. 점액성이 낮은 음료를 권고하고 음식물 섭취 후에는 반드시 구강세척을 하도록 하는 것이 좋다. IVRO 후에는 강한 악간고정을 시행하므로 비위장관 (Levin-tube)으로 비위관 영양법을 이용한다. 다만 환자가 비위관영양을 강하게 거부할 경우 주사기 주입법을 사용하되 구강폐색이나 흡인성 폐렴 등을 유의해야 한다.

(4) 부기관리 지도

악교정수술은 구강내에서 광범위한 박리와 절골, 재위치 및 고정 과정을 거치므로 수술 직후 일정한 부종은 불가피하다. 특히 환자와 보호자는 얼굴 부기에 당황하면서 고민하게 되는데, 빠르게 대응하고 적절하게 지도하지 않으면 환자의 안전과 만족도 그리고 의료진과의 관계에 악영향을 미친다. 보통 수술 직후 48시간 동안 급격하게 붓기 때문에 안면부에 탄력반창고를 붙이고 탄력붕대로 감는다. 2일 동안은 탄력붕대 유지와 환자의 불편한 거동으로 인해 냉습포를 중안면부에 규칙적으로 적용하도록 한다. 지나치게 차가운 얼음주머니는 일시적인 안면마비를 초래할 수 있으므로 지양하고, 환자가 좌우 볼 주변에 번갈아 가면서 적용할 수 있도록 교육한다. 이때에 압박되지 않은 입술 주변의 국소 부종이 관찰된다. 심한 입술 부기는 구호흡과 식음, 세척에 모두 방해될 뿐만 아니라 환자에게 불필요한 스트레스와 공포를 야기하므로 사전에 이를 충분히 인지하도록 하는 것이 좋다. 수술 중에 특별한 조직 손상이나 2차 출혈이 없다면, 부기는 48시간 - 72시간 이후부터 점차 가라앉게 된다. 의료진의 진료 방침에 따라 다르겠으나 부기 감소가 명확해지면 압박붕대를 제거하고 약 5일- 7일까지 냉습포를 가볍게 사용하도록 지도한다.

(5) 취침 등 자세 지도

수술 당일부터 구강내외 부기 감소가 뚜렷하고, 원활한 호흡과 연하, 비정상적인 출혈이나 삼출물 등이 더 이상 관찰되지 않을 때까지 환자의 침상자세는 좌위(high-Fowler's position, > 80도) 혹은 반좌위(Fowler's position, 45 - 60도)하는 것이 바람직하다. 약 1주일이 경과되면 위와 같은 증상 대부분이 개선되어 응급상황 발생 위험성은 현저히 줄어든다. 환자 스스로 음식섭취, 위생관리 등이 가능하게 되었다면 Semi-Fowler's position(< 30도)을 권한다. 취침 시에 지나치게 목을 뒤로 젖히거나 앞으로 숙이지 않는 것이 좋다. 전자는 회복 초기 인후두부의 종창과 경직, 혀의 후방변위 등에 의한 기도폐쇄 등을 유발할 수 있고, 후자는 타액과 삼출물, 혈액 응고물의 구강 외 배출 등의 위생관리 문제와 연관될 수 있다.

📑 참고문헌

1. 대한구강악안면외과학회. 구강악안면외과교과서 2nd ed.의치학사. 2005.

2. 대한악안면성형재건외과학회.악안면성형재건외과학.의치학사. 2003.

3. 박형식, 허진영.구내 하악골 상행지 수직 골절단술 후 기능적 물리치료에 대한 적응도 및 개교합 성향.대한구강악안면외과학회지, vol23, no1:27-33, 1997.

4. 이병인,박형식.하악전돌증 환자의 구내 하악골상행지 수직골절단술 후 골절편들의 장기 형태개조에 관한 임상적 연구.대한구강악안면외과학회지, vol22, no1:70-85, 1996.

5. Barton PR, Harris AW. An investigation of efficiency of the oral airway and a technique for improving the airway in the early post operative period following mandibular osteotomy. Br. J Oral Surg. 1980. 8:16.

6. Fisher SE. Respiratory / cardiac arrest complicating intermaxillary fixation. Br. J Oral Surg. 1982. 20:192-5.

7. Kohno M, Nakajima T, Someya G. Effects of Maxillomandibular fixation on respiration. J. Oral Maxillofac. Surg. 1993. 51:992-

8. Williams JG, Cawood JI. Effect of intermaxillary fixation on pulmonary function. Int. J. Oral Maxillofac. Surg. 1990. 19:76-8.

CHAPTER

양악수술의 합병증과 예방

Prevention of Complications of Two-Jaw Surgery

| 박상근 |

미용양악수술 역시 전통적인 악교정수술과 마찬가지로 수술 규모가 큰 얼굴뼈 수술이기 때문에 합병증을 가급적 미리 예방하고 혹시나 생기더라도 최소화할 수 있도록 해야 한다. 특히나 생명에 위협을 줄 수 있는 질환이나 합병증에 대한 정확한 이해와 대처가 매우 중요하다.

이 챕터에서는 미용양악수술과 관련한 합병증을 크게 수술 중, 수술 직후, 그리고 수술 후 장기적인 합병증으로 나누어 알아보도록 하겠다.

1. 수술 중 발생할 수 있는 합병증 (Intraoperative Complication)

1) 출혈

외상뿐만 아니라 수술 중 대략 1% 정도의 발현율을 보이고 있다. 환자에 따라 특별한 원인 없이 수술 중 심한 출혈을 보이는 경우도 간혹 있지만 대부분의 경우 수술부위의 주요 혈관의 손상이 과도한 출혈의 원인이 되는 경우가 많다.

ATLS(Advanced Trauma Life Support)가이드라인에 의하면 생명을 위협하는 출혈(life-threatening bleeding)은 외상이나 수술로 인해 저혈압성 쇽(hypovolemic shock), tachycardia(HR>100 bpm), 저혈압 (SBP< 100mmHg), 그리고 헤마토크릿이 24% 이하이거나 혈색소치가 8 g/dl 이하이어서 급하게 수혈이 필요한 상황이라고 정하고 있다.

만약 생명을 위협하는 출혈이 생기는 경우 표 9-1과 같이 처치하여야 한다.

그러나 수술 도중 일어나는 출혈은 지혈 가능한 경우가 대부분이고 생명을 위협하는 출혈로 이어질 가능성은 높지 않다.

외상이 아닌 악안면 수술을 하는 도중 출혈이 발생한다면 상악골의 LeFort I 골절단술 시에는 내림입천장동맥(descending palatine artery), 상악동맥의 제 3분지(3rd branch of maxillary artery) 혹은 익돌상악총(pterygomaxillary plexus)의 기계적인 손상에 의해, 하악골의 시상분할골절단술(SSRO) 혹은 골체부절단술(body osteotomy)시에는 하치조동맥(inferior alveolar artery)이나 설동맥(lingual artery)등이, 수직골절단(IVRO)시에는 하치조동맥이나 상악동맥분지(branch of maxillary artery)등이 손상을 받아 과다 출혈이 발생할 수 있다. 또한 특별히 비강내 삽관을 할 때나 비점막 조작시 Klesselbach plexus를 다쳐 과다한 출혈이 발생하는 경우도 있을 수 있다. 만약에 출혈이 발생할 시 압박이나 혈관 클램프로 잡거나 국소적으로 쓸 수 있는 지혈제를 쓰거나 전기소작을 통해 빠른 시간 내에 지혈하여야 한다. 수술 시 손상되기 쉬운 혈관은 표 9-2와 같다.

표 9-1. 악안면 수술 후 생명을 위협하는 출혈이 있을때의 치료

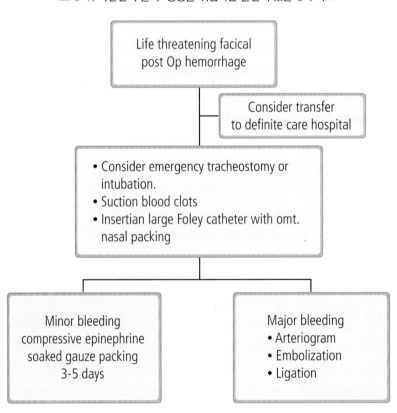

표 9-2 출혈 부위에 따른 손상가능한 혈관들

하악 수술
- Inferior alveolar artery & vein
- Facial artery & vein
- Masseteric artery
- Retromandibular vein
- Maxillary artery

상악 수술(LeFort I 골절단술)
- Posterior superior alveolar artery
- Descending palatine artery
- Ant. & post. palatine vessels
- Pterygoid plexus
- Maxillary artery

2) 신경손상

신경손상은 Neuropraxia, Axonotmesis, Neurotmesis로 구분이 가능하다. 전자 2개의 경우 대부분 자연 치유가 가능하나 물리적 절단 된 Neurotmesis가 되는 경우 즉시 신경봉합술을 시행해야 하며, 그렇게 하면 대부분의 경우 회복이 가능하다. 발현되는 증세는 손상의 정도에 따라 양상이 다양하며 영구히 회복되지 않는 경우도 드물게 있다. 신경손상의 증세가 발현되면 일단 약 2개월가량 신경증세의 변화를 잘 관찰하여야 한다. 만일 수술 후 6개월이 경과됐음에도 신경장애를 계속 호소하면 신경손상 정도를 정밀히 검사해 신경의 회복을 위한 수술 등의 조치를 강구해야 한다. 악교정 수술 후의 신경손상은 안면신경(제7뇌신경)의 손상에 의한 안면마비(Bell's palsy)와 삼차신경(제5뇌신경) 손상에 의한 지각마비가 있다. 전자는 입안으로 수술하는 경우 극히 드물게 발생하며, 후자는 악교정 수술과 관련된 다른 합병증에 비해 가장 빈번한 합병증으로 모두 수술 중의 신경손상이 직접적인 원인이다. 수술 도중 하치조신경(inferior alveolar nerve)이나 이부신경(mental nerve)에 직접적인 손상이 생겼다면 지체하지 말고 바로 9-0 또는 10-0 nylon을 이용해 신경봉합수술을 해 신경을 연결해 주어야 한다.

상악골 수술에서 일반적인 LeFort I 골절단술의 경우에는 눈확아래신경(infraorbital nerve)의 일시적인 압박 이외에 특기할만한 신경손상의 경우가 매우 드물다.

하악골 수술의 경우에는 특히 하치조신경(inferior alveolar nerve)과 이신경(mental nerve)의 신경 절단, 부분 손상 및 압박의 경우가 모두 발생 가능하다.

하악골 상행지에 대한 IVRO의 경우에는 상행지 절단이 맹관법(blind method)으로 시행되므로 시술 중 하치조신경의 주행 입구 및 가지를 볼 수 없어 골절단선이 잘못 설정된 경우에는 복구 불능한 신경절단을 초래할 수 있다. 따라서 골절단 전에 골절단선의 안전한 설정에 대단한 주의를 기울어야 한다. 반면에 골절단선의 설정이 올바른 경우에는 수술 중 하치조신경의 손상이나 압박으로 인한 신경장애의 확률이 거의 없다.

SSRO의 경우에는 골절단선의 설정에 의해서 보다는 하치조신경의 골내 주행위치에 따라 골편 분리나 골편 고정을 통한 압박 시 손상이 될 수 있다. 하악골에 SSRO와 genioplasty를 같이 시행한 경우 하순의 지각마비 확률이 증가했다는 보고도 있으므로 이러한 수술법을 시행할 경우에는 신경손상이 가해지지 않도록 더욱 주의를 기울여야 한다.

3) 예상치 못한 골절(Bad split or inadequate osteotomy), 잘못된 골편의 위치

상, 하악골 모두에서 발생이 가능하며, 특히 상악골에서는 상악골 전벽의 골 두께가 매우 얇은 경우에 절골시 톱날의 진동에 의해 예기치 못하게 부서지는 경우와 상악골을 날개판으로부터 분리하는 과정에서 상악골 후방부가 예기치 못하게 부서지는 경우 등이 있다. 하악골에서는 SSRO 과정의 골 분리 중 근심골편의 외측벽이나 과두경부 혹은 원심골편의 내측 벽이 예기치 못하게 파절되는 경우가 있다.

상악골의 경우에는 일단 파절되면 골이식을 추가하지 않고는 복구가 어려우므로 상악골과 날개골의 경계부에 대한 해부를 정확히 판단하고 세밀한 기계의 조작으로 예기치 않은 골절이 없도록 미리 예방해야 한다. 하악골의 경우에는 비교적 뼈가 두꺼우므로 잘못된 파절시 일단 골 분리를 완성한 후 나사못 등으로 강성 고정을 시행해 줄 수도 있으나 수술의 결과나 안정에 영향을 미치므로 예방이 최상책이다. BSSRO 이후에 발생하는 bad split은 0.7% - 14.6%의 빈도로 발생한다고 알려져 있고 가장 중요한 위험인자는 하악의 제3대구치이다.

잘못된 골편의 위치는 안모의 심미적 결과 및 술 후 재귀현상(relapse)에 영향을 줄 수 있다. 상악골의 위치가 잘못 조정된 경우에는 하악골의 위치 역시 그에 따라 잘못 위치하게 되어 술 후 안모의 심미적인 결과에 악영향을 미칠 수 있다. 특히 상악골의 정중선이 안모의 정중선과 일치하지 않는 경우나 교합평면의 기울기가 맞지 않는 경우 등에서는 심미적으로 불리한 결과를 가져오므로 수술 중 주의해야 한다. 하악골 수술의 경우, 하악골상행지 시상분할골절단술(SSRO)을 시행한 후 강성고정(rigid fixation)을 할 때 근심골편의 위치를 잘못 설정하면 하악과두의 위치 이상을 초래해 술 후 악관절 장애 및 재발의 위험을 높일 수 있으므로 유의해야 한다.

4) 치아손상

치근 손상은 특히 분절골절단술시 잘못된 골절단선의 방향을 설정함으로써 발생할 수 있다. 일단 치근이 손상되면 자연 치유되지 않는 한 치아의 희생을 감수해야 하는 경우도 있으므로 수술 시 치근의 손상이 가해지지 않도록 골절단선의 방향을 잘 선택해야 한다. 드릴이나 톱 등의 수술기구 사용이 손에 익숙하지 않거나 원치 않는 조작으로 치아에 손상을 주는 경우가 있을 수 있다.

5) 연부조직 또는 잇몸손상

열상(thermal injury)의 가능성이 언제나 존재하므로 기구 사용에 보다 조심하여야 한다.

6) 허혈성 괴사(Avascular necrosis)

허혈성 괴사는 특히 분절골전단술시나 양측성 구순, 구개열 환자의 악교정 수술 시 분절 골편 혹은 조직에 혈액공급이 차단되어 발생할 수 있다. 특히 분절골절단술 후에 골편의 괴사가 발생하지 않는 경우에도 치수(dermal pulp)의 허혈성 괴사 등이 발생할 수 있다. 허혈성괴사는 회복이 되지 않으므로 수술 시 이를 예방하기 위한 수술 술식을 시행하는 것이 최선이다.

7) 비점막 찢어짐(Nasal mucosa tearing)

LeFort I 절골술 시 2.6% 정도에서 나타날 수 있다. 주로 상악 하방골절시 발생할 수 있으며 발생한 경우 흡수성 봉합사로 견고하게 봉합하면 된다.

2. 수술 직후 발생할 수 있는 합병증 (Immediate Postoperative Complication)

1) 이차출혈

하악골 수술 후 이차출혈이 되는 경우는 드물며, 대부분은 상악골 수술 후 2차 출혈로 고생하는 경우가 있다. 왜냐하면 하악골의 수술 후에는 해부학적 특성상 출혈 부위가 조직에 의해 폐쇄돼있고 압박 붕대 적용시 외부로부터 압박지혈이 가능하지만, 상악골의 경우에는 특히 상악동의 공간과 코점막이 파열된 경우 비강을 통해 출혈이 분출되므로 적당히 지혈을 할 수 있는 방법이 막연하기 때문이다.

코피가 지속되는 경우에는 앞, 뒤 코안에 packing을 해서 2-3일 정도 유지하면 대부분의 경우 멈춘다.

2차 출혈은 빠른 시간 내에 조절이 되지 않아 지속적으로 출혈이 계속되는 경우에는 체적(volume)의 감소에 따른 쇼크(hypovolemic shock)뿐만 아니라 기도 폐쇄에 따른 심각한 호흡곤란을 야기할 수 있으므로 의심이 되는 경우에는 즉각적인 조치를 통해 이를 예방해야 한다.

수술 후 48시간 이내에 나타나는 이차출혈의 경우 패킹으로도 멈추지 않는다면 즉시 수술 부위를 다시 개방하여 출혈 부위를 정확하게 확인하고 적절한 방법으로 지혈시켜주는 것이 중요하다.

2) 열

악교정 수술 후 1-2일간 미열이 있는 경우는 흔하지만 38.5°C 이상의 고열(high fever)이 발생되는 경우는 매우 드물다. 그러나 폐렴, 감염, 정맥염 혹은 항생제에 대한 부작용 등이 있는 경우에는 고열이 발생할 수 있으므로 일단 고열이 발생하면 이들을 의심해야 한다. 고열이 발생하면 일단 열검사를 시행한 이후 해열제를 투약하고 필요한 물리요법을 통해 체열을 낮추어야 함은 물론 전체적인 검사를 통해 고열의 원인을 찾아 해결해야 한다.

3) 감각신경장애

LeFort I 절골술 이후 일시적으로 나타나는 감각이상은 96%에서 2달 내에 소실된다. BSSRO 수술 후 일시적인 감각신경장애는 작게는 1.4%에서 많게는 71%까지 보고되고 있는데 가장 중요한 위험인자는 나이의 증가이다. 매년 나이가 증가함에 따라 5%씩 감각신경장애가 일어날 가능성이 높아진다고 알려져 있다. 특히 외측 골편(lateral segment)에서 신경이 분리되는 경우 많이 증가하는 것으로 알려져 있다. 전진(advancement)이나 후퇴(set-back) 수술을 할 때 뼈의 이동량이 7 mm 이상이 되면 감각신경장애 가능성이 증가한다고 알려져있다. 일부 저자의 경우 BSSRO와 앞턱수술(genioplasty)을 같이 하는 경우 위험성이 증가한다고 보고하였으나 이는 논란의 여지가 있다고 생각한다. 수술 후 초기에 하악신경 지배 영역의 감각저하가 나타나는 확률은 저자에 따라 대략 5%~19% 정도로 다양하게 보고하고 있으나 대부분은 시간이 지나면서 회복되는 경우가 많고, 부분적인 감각저하가 영구적으로 남는 경우는 대략 2% 내외로 보고되고 있다. 수술 중 신경 절단이 생기지 않은 환자가 수술 후 초기에 감각저하를 호소하는 경우 특별한 치료를 요하지는 않으나, 스테로이드 약물치료(steroid pulse therapy)가 회복에 도움이 될 수 있다는 보고가 있다.

4) 감염

BSSRO 이후에 발생하는 염증은 작게는 2.0%에서 많게는 25.8%까지로 보고되고 있다. 중요한 위험인자로는 수술 후 흡연시 위험도가 1.6배 증가하는 것으로 알려져 있고 하악의 제3대구치가 중요한 인자로 알려져 있다. 성별이나 나이와는 상관이 없다고 알려져있다. 당뇨와 같은 전신적인 질환 역시 영향을 미친다.

악교정 수술 시에는 수술 중 혹은 수술 후에 예방적 항생제를 투여하므로 수술 후 감염이 발생되는 경우가 많지는 않다. 그러나 수술 시 오염이 되었거나 술 후 환자의 전신면역성이 떨어진 경우가 있을 수 있으므로 언제나 염두에 두어야 한다. 간혹 수술용 거즈가 부주의하게 창상에 남아있는 경우에도 감염을 유발할 수 있으므로 수술 시 사용된 거즈나 이물질이 창상에 남아있지 않도록 세심하게 확인해야 하고, 사용된 거즈의 수량 역시 정확하게 확인해야 한다. LeFort I 절골술로 인한 상악동염의 가능성도 언제나 생각하여야 한다. 개방성 창상을 보이는 경우에는 항생제를 사용하여 감염을 예방해야 하며 창상을 깨끗이 세척시키고 지혈시켜 피판을 피하조직과 밀착시키는 것도 예방에 큰 역할을 한다. 또한 악간고정을 위해서 구강내로 강선이나 arch bar를 대는 과정 후에 일시적 균혈증 현상이 발생하고 술 후 발열과 오한을 가끔 보이는 경우가 있으며, 약 4시간 후에는 백혈구의 수가 10,000-12,000/mm^{3}까지 된다는 보고도 있다. 이의 국소적인 요인으로는 창상의 깊이, 감염 주위 조직의 혈류공급, 이물질 존재 유무, 신생물, 수술 전의 방사선조사나 외상 등이 있다.

대개 감염이 발생하면 감염의 발생 부위에 발적, 동통, 심한 부종 등 감염의 특징이 나타나며, 이러한 증세는 수술 직후 감염이 시작된 경우에는 약 2-3일 후에 임상적으로 발현된다. 일단 감염이 발생하면 식염수를 이용한 구강내 세정, 적절한 항생제의 투약과 함께 절개 및 배농술 등을 포함한 필요한 조치를 즉시 시행해야 하며, 이러한 조치에도 지속적으로 감염이 조절되지 않으면 방사선사진을 통해 이물질의 잔여 여부를 확인하고, 감염 부위를 개방하여 거즈 등 이물질이 남아있는지 확인하여 혹시 있으면 이를 제거해야 한다.

5) 골유합물질 제거(Removal of osteosynthesis material)

BSSRO를 시행한 환자에서 고정판과 고정핀과 같은 골유합물질을 제거하는 경우는 대략 11.2%로 보고되고 있다. 별다른 문제 없이 환자가 스스로 원해서 제거하게 되는 경우도 있지만, 감염 증상이 나타나 제거하게 되는 경우도 있다. 감염된 수술 부위에 이물질이 남아있으면 장기간의 치료에도 불구하고 상처 감염이 잘 치료되지 않는 경우가 많으며, 이런 경우에는 결국 고정판과 고정핀 등 이물질을 모두 제거하여야 상처 감염 치료에 정상적으로 반응하게 된다.

6) 허혈성괴사

7) 악관절통증

8) 치수괴사

9) 봉합부위의 벌어짐(Suture dehiscence)

10) 뼈의 불유합

11) 수술 후 부정교합 재발

12) 폐색전증

3. 수술 후 장기적인 합병증 (Late Postoperative Complication)

1) 하악골 골두 흡수(Mandibular condyle resorption) 및 위치변화를 포함한 악관절 장애(Temporo-mandibular joint disorder)

수술 후 악관절에 통증을 호소하거나 소리가 나거나 구개장애가 일어나거나 악관절 디스크 탈출의 가능성도 있을 수 있다. SSRO 이후에 수술 전에 없었던 하악골 골두가 흡수되는 경우가 있을 가능성이 있다.

2) 재발과 이에 따른 부정교합의 재발

일단 재발이 발생하면 악골의 위치 변화에 따른 부정교합이 이어서 재발되므로 치료와 방향이 매우 복잡할 수 있으며, 경우에 따라서는 재수술이 필요한 경우도 있다. 따라서 물론 수술 전에 악골 이동의 기하학적 측면과 이동량 및 주위 근육과의 생리적 관계를 충분히 고려한 수술 계획과 함께 수술중의 세밀한 완성이 요구되지만, 수술 후 일단 재발 현상이 있으면 그 정도를 면밀히 살펴 교정의사와의 충분한 논의를 통해 재발을 최소화할 수 있는 방법을 모색해야 할 것이다.

악교정 수술 후 교합장애가 오면 악간고정을 제거한 직후 교정치료를 시작해야 한다. 또 미세한 치아 이동을 위한 술 후 교정치료를 실시하는 동안에는 악간 고무줄이나 가철성 교정장치, 또는 splint등을 사용하여 교합장애에 의한 'hit & sliding mechanism'이 악골에 미치는 영향을 방지해야 한다.

3) 구강내 반흔성 조직에 의한 구강위생 불량

4) 고정장치의 고정 실패(Failure of fixation screws and plates)

고정플레이트가 부러지거나 나사가 느슨해지는 경우가 있을 수 있고 필요시 다시 고정해야 하는 경우도 있을 수 있다.

5) 영구적인 감각 손실

손상이 있을 경우에는 앞턱이나 아랫입술의 지각에 장애가 발생하는데 brush directional discrimination, static light touch detection, two-point discrimination, prickle-pain test, sold-sensitivity test 등을 통해 진단할 수 있다. 저자에 따라 차이가 나지만 영구적인 감각 손실이 2% 정도에서 나타난다는 보고도 있다.

6) 뼈 괴사 또는 골수염(Bone necrosis or osteomyelitis)

7) 비중격 만곡(Septal deviation)

LeFort I 절골술 이후 대략 2.6% 정도에서 나타날 수 있다. 상악의 상방 이동을 하게 될 경우에는 비중격의 길이가 남아서 휘지 않도록 비중격을 적절한 정도로 절제하면 수술 후 비중격이 휘는 현상을 줄이는 데 도움이 된다. 다만, 비중격을 절제량을 너무 과도하게 하지 않도록 주의한다.

8) 불만족스런 심미적 결과

교정하고자 하는 안면 비대칭이 남거나 수술 전, 후 변화가 과하거나 부족한 경우가 있을 수 있다. 안면 비대칭의 경우 수직 비대칭과 수평 비대칭을 구분하여야 하는데 드물게는 동시에 존재하는 경우도 있다.

불완전한 수술 즉, 수술 중 필요한 처치를 제대로 하지 못했을 경우에도 역시 안면형태의 이상을 술후에 야기할 수 있다. 비중격, 전비극(ant. nasal spine), 그리고 이상구(pyriform aperture) 등을 적절히 처치하지 않으면 코가 휘어지거나 콧볼 모양의 변화를 유발할 수 있다. 하악전돌수술 시에는 하악의 후방이동량에 따라 하악후연이 후방으로 돌출되는데, 이 하악후연을 적절히 처치해야 수술 후에 하악우각 후방부가 돌출되어 보이는 것을 막을 수 있다.

9) 실명 등을 포함한 안과적 이상

10) 기능적 이상

하악운동제한, 저작 및 발음기능의 저하, 악관절이상, 호흡곤란 및 코골이, 그리고 비음 등이 있다. 대부분의 경우 수술 계획을 정확히 하고 수술 후 필요하다면 물리치료 등을 통해 치료가 가능하다.

4. 악교정수술 후 재발의 원인과 최소화시키는 방법들

1) 악교정 수술 이후에 재발의 원인은 매우 다양하다. 악교정 수술 후 재발이라 함은 협의로는 수술 전 상태로 돌아가는 것을 말하지만, 광의로는 계획했던 술 후 상태로부터 악골이 바람직하지 않은 어떤 새로운 위치로 이동하는 것을 말한다. 수술 직후 4주 이내에 발생하는 조기재발의 경우 악교정 수술과 연관된 하악 과두돌기의 위치이상과 술후의 교합장애가 그 원인인 경우가 많으며 이는 재발의 90%를

차지한다. 환자의 나이, 교합의 불안정성 및 수술 전 교정의 정확성 여부, 수술 중 충분하지 않은 bony contact과 악간교정, 수술 후 condyle axis의 변화 및 근육과 연조직의 변화로 인해 재발의 가능성이 생긴다. 이를 예방하기 위해서는 수술 전 교합을 안정화시키며 최대한 수술 중에 bony contact을 잘 맞춰줘야 하고 condyle axis가 변화되지 않도록 하며 안정적인 악간교정으로 연부조직의 긴장이 되지 않도록 수술하는 것이 중요하다. 더불어 약간의 과교정을 통해 수술 후 연부조직이나 근육의 힘이 가해지더라도 골격의 위치를 유지할 수 있도록 하는 것이 좋다. 특히 BSSRO를 시행할 경우 외측 골편에 부착된 med. Pterygoid muscle, Sphenomandibular ligament, Stylomandibular ligament를 충분히 박리하고 내측 골편 내측의 med. Pterygoid muscle을 잘 박리하여 내측골편과 외측골편이 겹치는 부분이 저항이 없도록 하는 것이 중요하다. LeFort I 절골술의 경우에도 상악골의 후방과 palatine bone 부위의 충분한 골제거가 되지 않아 상악골의 후방부가 계획대로 상방으로 이동되지 않은 상태에서 고정을 하고 수술을 끝내면 구치부의 교합 간섭으로 인해 전방개방교합(anterior open bite)이 생길 수 있다.

2) 재수술을 해야 하는 원인으로는 원치 않은 골유합(new iatrogenic bony malposition, 53%), 재발(33%), 만성하악골두변형(chronic condylar change, 33%) 등이 보고되었다.

📑 참고문헌

1. 박재억. 악교정수술학. 군자출판사. 2003.

2. AS Vandeput, PJ Verhelst, R Jacobs, E Shaheen, G Swennen, C Politis. Condylar change after orthognathic surgery for dentofacial class III deformity: a systemic review. Int J Oral Maxillofac Surg 2019 Feb;48(2):193-202.

3. FM Zaroni et al. Complications associated with orthognathic surgery: A retrospective study of 485 cases. J Craniomaxillofac Surg 2019 Dec;47(12):1855-1860.

4. M Eshghpour, V Mianbandi, S Samieirad. Intra- and Postoperative Complications of Le Fort I Maxillary Osteotomy. J Craniofac Surg 2018 Nov;29(8):e797-e803.

5. M Riekert, M Kreppel, R Schier, JE Zöller, V Rempel, VC Schick. Postoperative complication after bimaxillary orthognathic surgery: A retrospective stury with focus on postoperative ventilation strategies and posterior airway space(PAS). J Craniomaxillofac Surg 2019 Dec;47(12):1848-1854.

6. S Khanna, AB Dagum. A critical review of the literature and an evidence-based approach for life-threatening hemorrhage in maxillofacial surgery. Ann Plast Surg 2012 Oct;69(4):474-8.

7. S Olate, E Sigua, L Asprino, M Moraes. Complications in Orthognathic Surgery. J Craniofac Surg 2018 Mar;29(2):e158-e161.

INDEX

국문 찾아보기

영문 찾아보기